VOLUME 3

銀《ぎん》の匙《さじ》 Silver Spoon

荒川 弘

Hiromu Arakawa Presents

STORY & CHARACTER

御《み》影《かげ》アキ

大《おお》蝦《え》夷《ぞ》農《のう》業《ぎょう》高《こう》校《こう》酪《らく》農《のう》科《か》学《がく》科《か》一《いち》年《ねん》。牛《うし》と馬《うま》を飼《か》っている農《のう》家《か》の娘《むすめ》。跡《あと》を継《つ》ごうかなーと思《おも》ってエゾノーに。

駒《こま》場《ば》一《いち》郎《ろう》

大《おお》蝦《え》夷《ぞ》農《のう》業《ぎょう》高《こう》校《こう》酪《らく》農《のう》科《か》学《がく》科《か》一《いち》年《ねん》。卒《そつ》業《ぎょう》後《こ》は、実《じっ》家《か》の酪《らく》農《のう》を継《つ》ぐつもり。野《や》球《きゅう》部《ぶ》部《ぶ》員《いん》。

八《はち》軒《けん》勇《ゆう》吾《ご》

大《おお》蝦《え》夷《ぞ》農《のう》業《ぎょう》高《こう》校《こう》酪《らく》農《のう》科《か》学《がく》科《か》一《いち》年《ねん》。札《さっ》幌《ぽろ》の中《ちゅう》学《がく》から一《いっ》般《ぱん》受《じゅ》験《けん》でやってきた。志《し》望《ぼう》動《どう》機《き》は、寮《りょう》があるから…

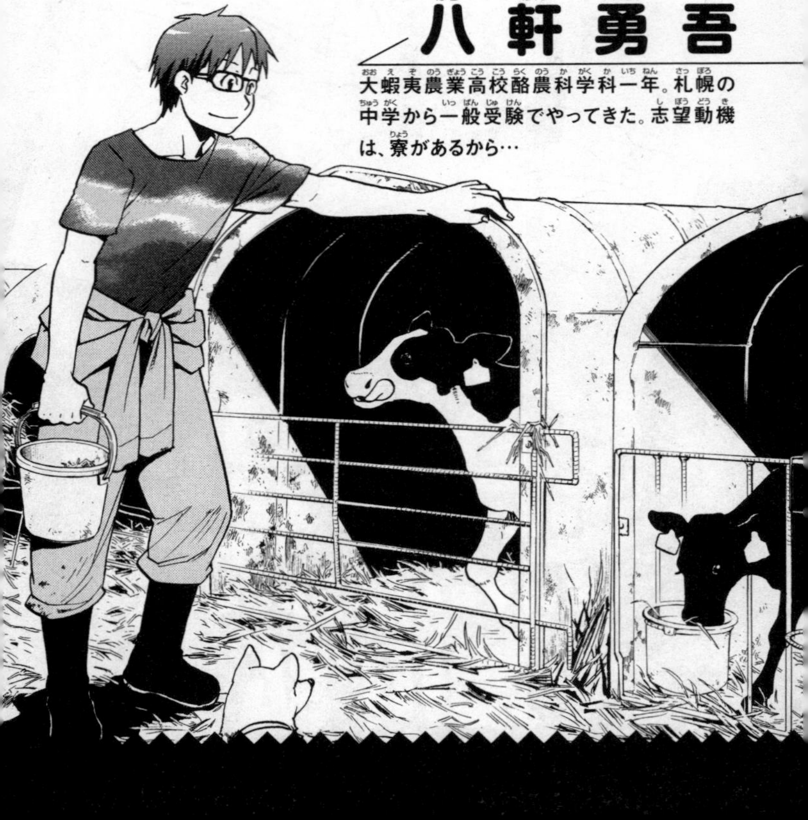

稲田多摩子《いなだたまこ》

大蝦夷《おおえぞ》農業《のうぎょう》高校《こうこう》酪農《らくのう》科学《かがく》科《か》一年《いちねん》。すべてが謎《なぞ》。

相川進之介《あいかわしんのすけ》

大蝦夷《おおえぞ》農業《のうぎょう》高校《こうこう》酪農《らくのう》科学《かがく》科《か》一年《いちねん》。将来《しょうらい》の夢《ゆめ》は、獣医《じゅうい》。

常盤恵次《ときわけいじ》

大蝦夷《おおえぞ》農業《のうぎょう》高校《こうこう》酪農《らくのう》科学《かがく》科《か》一年《いちねん》。ニワトリ農家《のうか》の息子《むすこ》。勉強《べんきょう》が苦手《にがて》。

御影家《みかげけ》の人々《ひとびと》

アキの おじいちゃん

アキの おばあちゃん

アキの お父さん

アキの お母さん

アキの ひいばあちゃん

これまでの…ストーリー

謎《なぞ》の窯《かま》を見《み》つけたことで、
ピザ会《かい》を主催《しゅさい》する
ことになった八軒《はちけん》…
みんなの協力《きょうりょく》と悪《わる》ノリで、
美味《お》しい《い》ピザを
作《つく》ることができて大満足《だいまんぞく》。
そして一学期《いちがっき》も終《お》わり、
いよいよ夏休《なつやす》み!
実家《じっか》に帰《かえ》りたくない八軒《はちけん》は、
アキに誘《さそ》われるがままに
御影《みかげ》牧場《ぼくじょう》でバイトを
することに。
もちろん、都会《とかい》育《そだ》ちの
八軒《はちけん》には想定外《そうていがい》の
ことだらけ!!!

CONTENTS

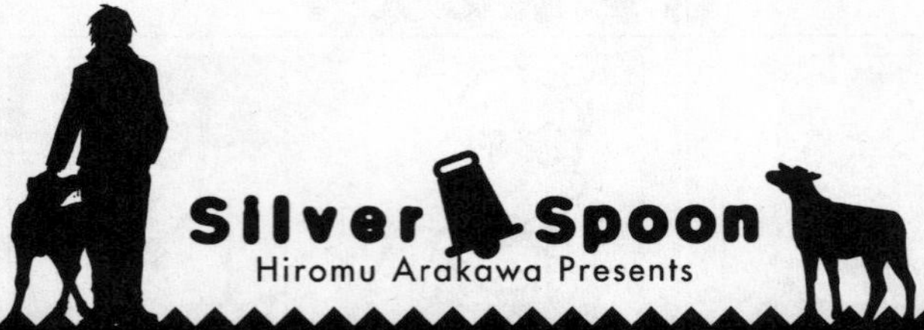
Silver Spoon
Hiromu Arakawa Presents

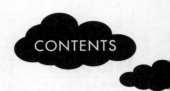

ギしっ
よいしょー!!
第《だい》18話《わ》 夏《なつ》の巻《まき》⑧
?
どこに連《つ》れてくんだ?
子牛専用《こうしせんよう》の小屋《こや》よ。
母牛《ははうし》と一緒《いっしょ》じゃないのか?
管理《かんり》しやすいように生《う》まれてすぐ母子別々《ぼしべつべつ》にされるのよ。
ぺろぺろ
プルプル
ちゅうちゅう
ちゅうちゅう
ええ?じゃあこういう牧歌的《ぼっかてき》なのは…
無《な》いわね。
うちも無《な》いなー。

生《う》まれてすぐ母子離《ぼしはな》れ離《ばな》れってかわいそうじゃ…
もしゃ もしゃ もしゃ
あー がんばったから おなか すいたわー
もしゃ
もしゃ
……って、オイ!! 母牛《ははうし》はすでに知《し》らん顔《かお》かよ!!
他人《たにん》どころか親子《おやこ》の関係《かんけい》すらも希薄《きはく》になりつつある現代《げんだい》に、せめて動物界《どうぶつかい》だけはまともな親子関係《おやこかんけい》が築《きず》けていると信《しん》じていたのにおまえときたら…!!
ぶっ ぶっ ぶっ ぶっ ぶっ
?
なに牛《うし》に説教《せっきょう》してんの。
初産《ういざん》だと子牛《こうし》を連《つ》れて行《い》かれたら鳴《な》いたりするんだけど…
ちゅう ちゅう ちゅう
んぐ んぐ んぐ
何度《なんど》かすると牛《うし》も「人間《にんげん》にまかせちゃえ」ってなるのよ。
この子《こ》オスだし、あと一週間《いっしゅうかん》もしたら市場《しじょう》に連《つ》れてかれて肉牛育成業者《にくぎゅういくせいぎょうしゃ》に買《か》われて行《い》く運命《うんめい》なの。
だから母牛《ははうし》にべったりしたままだと別《わか》れがしんどくなるしね。
乳牛《にゅうぎゅう》のオスってみんな肉用《にくよう》にされるのか〜
うん。種牛《たねうし》にならないかぎりほぼ肉用《にくよう》だね。

で、去勢《きょせい》されて肥《こ》え太《ふと》らされて肉《にく》になって一生《いっしょう》を終《お》えるの。
ぞわっ
牛《うし》に生《う》まれなくてよかった…
キラ
キラ
キラ
キラ
キラ
キラ
親《おや》に相手《あいて》にされてない上《うえ》に食肉一直線《しょくにくいっちょくせん》な運命《うんめい》……
なのに何《なに》も知《し》らないきれいな目《め》をしている……
その澄《す》んだ瞳《ひとみ》のまま精一杯《せいいっぱい》生《い》きてくれよ、「牛《ぎゅう》丼《どん》」。
だから名前《なまえ》つけちゃダメだって。

すっかり長居《ながい》しちゃったね。
早《はや》く帰《かえ》らないと搾乳時間《さくにゅうじかん》に間《ま》に合《あ》わないよ。
でもいいもの見《み》れたっしょ？
ロータリーパーラーより更《さら》に人件費《じんけんひ》のかからないロボット式《しき》のもあるのよ。
牛《うし》が自分《じぶん》の好《す》きな時《とき》に搾乳室《さくにゅうしつ》に入《はい》ると自動的《じどうてき》に搾《しぼ》ってくれるの。
へ――
あ、そっか！
ここはケータイ通《つう》じるんだ！
0001 母
0002 母
0003 Amason.cc
0004 常盤
0005 母
0006 カスタマーセ
0007 大川先輩
0008 馬術部
カチ……

From 母
Sub
友達の家でバイトって
農家のおうち？
カチカチ…
From 母
Sub
勇吾がお世話に
なるなら一度
ごあいさつして
おきたいのだけど
カチ……
しなくていい!!
カチカチカチカチ
カチッ
返信
はー…
なんだよ…
一度《いちど》返信《へんしん》したら
急《きゅう》に母親面《ははおやづら》かよ…
From 常盤
Sub
数学の宿題
超わからん<(^o^)>
学校始まったら
教えてくれー!!
常盤
カチ……
…いつもなら
腹立《はらた》つけど、
今日《きょう》はおまえのメールが
俺《おれ》をなごませるぜ
常盤《ときわ》……!!
カチ カチ カチ
教えてやるから
うまい卵食わせろ。
返信っ、と。

5

宿題《しゅくだい》……
そっか…もうすぐ夏休《なつやす》みも終《お》わっちゃうんだ…
送
夏休《なつやす》みが明《あ》けたら豚丼《ぶたどん》はベーコンになっちゃうんだな…

6

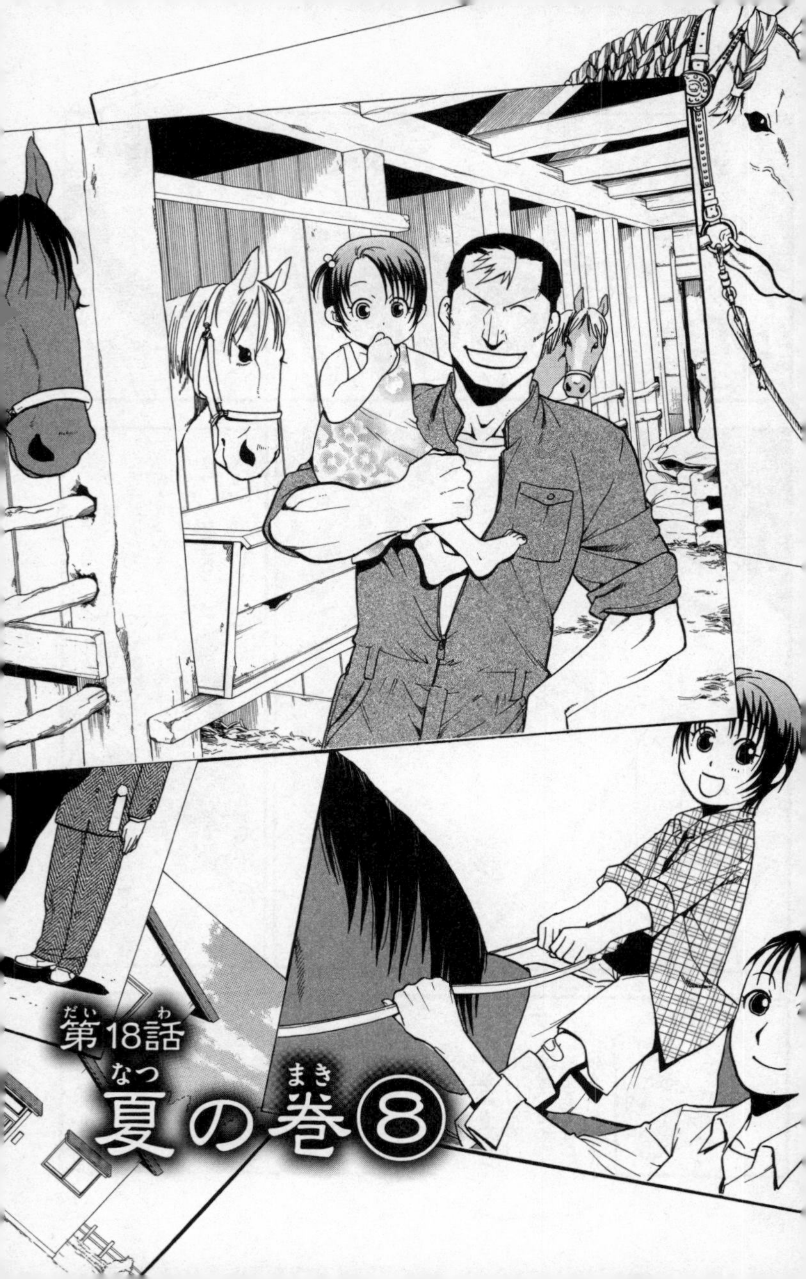
第《だい》18話《わ》
夏《なつ》の巻《まき》⑧

家畜《かちく》に愛情《あいじょう》込《こ》めて名前《なまえ》を付《つ》けるかって？
たしかに乳牛《にゅうぎゅう》は一頭一頭《いっとういっとう》に血統書《けっとうしょ》があって名前《なまえ》もちゃんと付《つ》いてるけど、けっこう無機質《むきしつ》な名前《なまえ》だしなぁ。
血統登録証明書
01261
これが血統書《けっとうしょ》。
8
ミス サンデー ショウガク
父 ウィークリー サンデー
100%
13501681
サンデー スーパー カンダ
100%
父牛名号《ちちうしめいごう》から一単語《ひとたんご》、
母牛名号《ははうしめいごう》から一単語《ひとたんご》もらって、それに自前《じまえ》の単語《たんご》ひとつ加《くわ》えるだけのタイプが多《おお》いな。
14612530C
母 ミス ビッグコ
141865708A
オリジナルBV
2507097A
ミス コロコロ

あとは末尾《まつび》に特殊名号《とくしゅめいごう》が付《つ》く場合《ばあい》がある。
名前《なまえ》の後《うし》ろに双子《ふたご》なら「フタゴ」、ホルスタインなのに赤毛《あかげ》で生《う》まれたら「RED《レッド》」、受精卵移植牛《じゅせいらんいしょくうし》なら「ET《イーティー》」とかな。
RED
血統登録証明書
ダニー アールド ライトマン フタゴ
2236
ET
血統書《けっとうしょ》がきちんとあるなんてペットと同《おな》じですよね。
だなぁ。
ほとんどの牛《うし》が事務的《じむてき》な名《な》を付《つ》けられてる。
なのに家畜《かちく》は殺《ころ》せてペットや特別《とくべつ》な思《おも》い入《い》れのある動物《どうぶつ》は殺《ころ》すの嫌《いや》なのって…
その違《ちが》いって何《なん》だろう？ 愛情《あいじょう》の有無《うむ》？
いや、わしらは家畜《かちく》になまら愛情《あいじょう》あるよ！
豚飼《ぶたか》っても八軒君《はちけんくん》より愛《あい》する自信《じしん》あるよ！
え……
その割《わ》りにあっさり食《く》っちゃいますよね。
そりゃそうさ！
「おいしく育《そだ》てよ」って注《そそ》ぐ愛情《あいじょう》だもの！

ペットは「かわいいかわいい」って注《そそ》ぐ愛情《あいじょう》。
ばんえい馬《ば》は「レースで活躍《かつやく》しろよ」って注《そそ》ぐ愛情《あいじょう》。
立場《たちば》それぞれ人《ひと》それぞれ。
愛情《あいじょう》には色々《いろいろ》な形《かたち》があるのだよ八軒君《はちけんくん》!
なんかそれっぽくまとめられてしまったぞ。
あ——うん。愛情《あいじょう》の形《かたち》ってのはわかるかも。
この子《こ》達《たち》もばんえい競馬《けいば》でヒーローになってほしくて育《そだ》ててる訳《わけ》でしょ?
うん。
体調《たいちょう》に気《き》をつけて筋《きん》トレして期待《きたい》してかわいがって…
それがある日《ひ》突然《とつぜん》「お肉《にく》にして」って言《い》われたらガッカリだよね。
「この子《こ》お肉《にく》にする為《ため》に育《そだ》ててきたんじゃないのに」って。

うん、なんかわかる気《き》がする。
農家《のうか》の親《おや》もそんな気持《きも》ちがあるんだろうなぁ。
パシャン
あのさ…
あ———……えっと…
ほんとこういうのお節介《せっかい》かもしれないけど…
やっぱ家《いえ》を継《つ》ぐ事《こと》で親《おや》に遠慮《えんりょ》して悩《なや》んでることあるのか？

………
すいっ
ぶるる
私《わたし》本当《ほんとう》はね、
馬関係《うまかんけい》の仕事《しごと》に就《つ》きたいんだ。

あ、でもね、酪農《らくのう》が嫌《きら》いって訳《わけ》じゃないのよ。牛《うし》もかわいいし！
それにうちはひとりっ子《こ》だから跡継《あとつ》がないと家《いえ》を潰《つぶ》す事《こと》になるし！
期待《きたい》してる家族《かぞく》をがっかりさせたくないしね。
家族《かぞく》の期待《きたい》に応《こた》えなきゃっていう所《ところ》は、八軒君《はちけんくん》と一緒《いっしょ》かな。
……一緒《いっしょ》じゃないよ。
御影《みかげ》、俺《おれ》に「親《おや》ときちんと話《はな》せ」って言《い》ったよな？
そう言《い》う御影《みかげ》こそ自分《じぶん》の気持《きも》ちを親《おや》にきちんと話《はな》してないんじゃないのか？

13

ほらっ…御影《みかげ》さん家《ち》はみんな面白《おもしろ》くて良《い》い人《ひと》で…
だからっ…夢《ゆめ》の事《こと》ちゃんと話《はな》せばわかってくれるよ…！
大丈夫《だいじょうぶ》だよ！俺《おれ》ん家《ち》と一緒《いっしょ》じゃないよ…！
…なんで他人《たにん》の事《こと》なのにそんな一生懸命《いっしょうけんめい》なの？
なんか…嫌《いや》なんだよ…
だってちゃんと夢《ゆめ》があるんだろ？
俺《おれ》、中学《ちゅうがく》で目標《もくひょう》が無《な》くなって夢《ゆめ》も無《な》いから、夢《ゆめ》があってキラキラしてる奴《やつ》が正直《しょうじき》ねたましいよ！
でもさ……

夢《ゆめ》かなえる為《ため》にしんどい思《おも》いしながらふんばってる奴《やつ》いっぱいいるから…
そういう奴《やつ》の夢《ゆめ》がかなわないのは嫌《いや》だよ！
それに御影《みかげ》が馬《うま》に乗《の》ってる時《とき》真剣《しんけん》でかっこ良《よ》かったし…
それ見《み》て馬術部《ばじゅつぶ》入部《にゅうぶ》を決《き》めた部分《ぶぶん》もあるし……
その……なんつーか、
やっぱ馬《うま》の仕事《しごと》したいならそっちの道《みち》に行《い》ってほしいって思《おも》うし…
あの…
え——と…
どげしっ
おふ!!
おまっ…
ぐいぐいぐいぐい
なんだよジャマすんなよ！
いでででででで!!

八軒君《はちけんくん》てさ、自分《じぶん》の事《こと》で手一杯《ていっぱい》なのに他人《たにん》の事《こと》もかかえ込《こ》んじゃうお人好《ひとよ》しだよね。
ええ!?
なんだよそれ〜〜〜〜
損《そん》するタイプって事《こと》かよ〜
ううん。
びくびくしながらそれでもみんなの事大切《ことたいせつ》にして突《つ》っ込《こ》んでくるよね、って事《こと》。
そういう所《ところ》、ほんと馬《うま》みたい。
どうせぶさいくだよ!!
なんでそうなるの。
え?あ?
馬《うま》って…
人《ひと》をよく観察《かんさつ》するっていうのは臆病《おくびょう》の裏返《うらがえ》し。
草食動物《そうしょくどうぶつ》だから基本《きほん》、群《む》れを大切《たいせつ》にする……

臆病《おくびょう》で繊細《せんさい》で仲間想《なかまおも》いの動物《どうぶつ》なの。
うわー…なんか面倒《めんどう》くさそうな生《い》き物《もの》だな…
その面倒《めんどう》くささがまた良《い》いっしょ？
良いっしょ
良いっしょ
良いっしょ
良いっしょ
…て事《こと》はつまり？
そういう事《こと》ですか？
御影《みかげ》さん??
御影《みかげ》さん???
御影《みかげ》さ――――ん!!!
俺《おれ》………

あ、
父《とう》さん
お帰《かえ》りー。
父《とう》ちゃん退院《たいいん》おめでとー!
高血圧《こうけつあつ》でまた入院《にゅういん》しそうだけどなあははははは!!
はははははははははははははははははは

Silver Spoon
Hiromu Arakawa Presents

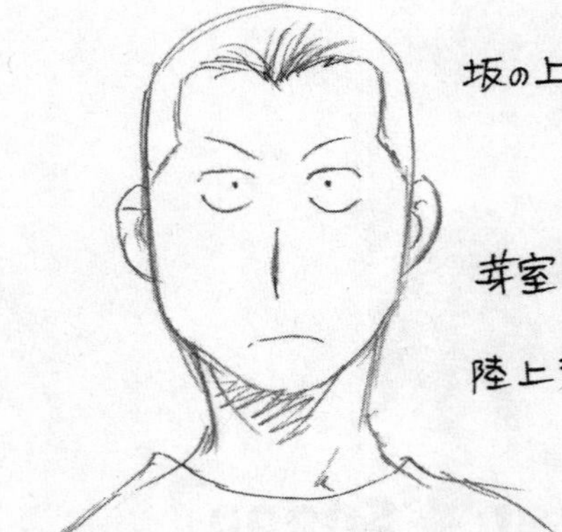

坂の上 真二

芽室東中出身

陸上部

第《だい》19話《わ》 夏《なつ》の巻《まき》⑨

チュン
チュン
チュチュン
カチッ
ポーン
どす
どす
どす
どす
ポーン
ポーン
ポーン
ポーン
ガラッ
おうバイト!
早《はや》く起《お》きて牛舎《ぎゅうしゃ》に行《い》かんか——
……
お?

モー
ウモー
シュゴー
シュゴー
シュゴー
八軒君《はちけんくん》、毎日《まいにち》5時《じ》起《お》きでしんどくないかい?
大丈夫《だいじょうぶ》です! 馬術部《ばじゅつぶ》がいつも4時《じ》起《お》きなので!
じゃあ明日《あした》から4時《じ》起《お》きにすっか!
ははははは
カンベンしてくださいよー。
おのれバイト〰〰〰!
ギリっ
それしきの働《はた》きっぷりで俺《おれ》が認《みと》めると思《おも》うなよ〰〰〰!
父《とう》さんジャマ。
おうバイト! これ運《はこ》んどけ!!
はいっ!!
これ手伝《てつだ》え!!
はいっ!!

これ やっとけ!!
はいっ!!
これ 直《なお》しとけ!!
はいっ!!
これ 片《かた》付《つ》けとけ!!
はいっ!!
これも!!
はいっ!!
あれも!!
はいっ!!
それも!!
はい———っ!!!
八軒《はちけん》君《くん》!
はいっ!?
………大丈夫《だいじょうぶ》かい?
あ……

3

無理《むり》しないで休《やす》んどきな。疲《つか》れを取《と》るのも仕事《しごと》のうちだよ。
父《とう》ちゃんも張《は》り切《き》りすぎ！病《や》み上《あ》がりなんだから休《やす》みながら仕事《しごと》しなよ！
う…
や…俺《おれ》大丈夫《だいじょうぶ》ですから。
そうは言《い》っても、他所《よそ》ん家《ち》で夏休《なつやす》み中《ちゅう》ずっとバイトなんてしんどくて当《あ》たり前《まえ》なんだから…
いえ、がんばります！
つーか、がんばらせてください。
？
？
や…俺《おれ》、実《じつ》は将来《しょうらい》やりたい仕事《しごと》とか目標《もくひょう》とかが無《な》くてですね…その……
…友達《ともだち》が進路《しんろ》で悩《なや》んでる時《とき》に相談《そうだん》に乗《の》りたいんですけど…
こんないいかげんな立《た》ち位置《いち》じゃ説得力《せっとくりょく》、無《な》いから…

せめて、この仕事《しごと》くらいはちゃんとやろうと思《おも》って……
ちょっと父《とう》ちゃん!やっぱ八軒君《はちけんくん》にうちに婿《むこ》に来《き》てもらおうよ!
な――んでそうなるんだよ――――う!!!
八軒君《はちけんくん》働《はたら》き者《もの》でいいじゃない!進路《しんろ》決まってないって言《い》うし!
認《みと》めんぞ!!
いや、だからそういう話《はなし》ではなくてですね…
ガタ
ガタ
ガタ
ゴト
父《とう》さーん!じぃちゃーん!
どうした?
大変《たいへん》大変《たいへん》!
町営牧場《ちょうえいぼくじょう》の牛《うし》が大量脱走《たいりょうだっそう》してきて…
うちの牛《うし》と混《ま》ざっちゃった!!

6

ウモーー
第《だい》19話《わ》
夏《なつ》の巻《まき》⑨
もももー
7
あーー……

どっから湧《わ》いたんですか、この牛《うし》ども!!
モー
ここの近《ちか》くに、農家《のうか》から若牛《わかうし》を預《あず》かって放牧《ほうぼく》してる場所《ばしょ》があるんだ。
ウモー
モー
どこか柵《さく》を壊《こわ》して出《で》て来《き》たんだべ。
美味《うま》いエサがあるからうちに来《き》やがったな。
これ…何頭《なんとう》くらいいるんでしょう…
モー
モー
300はいるべなぁ。
若《わか》い牛《うし》に追《お》われてうちの牛《うし》がケガしたら困《こま》る。
うちのと牧場《ぼくじょう》のと分《わ》けて収容《しゅうよう》するか。
モー
モモー
ウモー
モー
モー
分《わ》けるって…俺《おれ》にはどっちがどっちか…
乳房《にゅうぼう》見《み》たらわかるべや!
町営牧場《ちょうえいぼくじょう》のは未経産牛《みけいさんぎゅう》でこれから成長《せいちょう》する乳房《にゅうぼう》!
うちのは、経産牛《けいさんぎゅう》だから母《かあ》ちゃんのみたいに垂《た》れ…
ええと、御影《みかげ》さんちのは経産牛《けいさんぎゅう》の乳房《にゅうぼう》で…

町営牧場《ちょうえいぼくじょう》のは若《わか》いからこれから大《おお》き…く…
わーたいへんだー
何《なに》見《み》てんだこのヤロウ!!
どかどかどかぐしゃー
すんません!
畑荒《はたけあ》らされる前《まえ》に、全部《ぜんぶ》まとめて運動場《うんどうじょう》に追《お》い込《こ》んだ方《ほう》がよくない?
うん、そうしようか。
モー
ヴモー
ほれ、そっち行《い》きな!
ウモォー
モモー
コラコラコラまてコラ!
お父《とう》さん、そっち行《い》った!
モー
モモー
ああもう!
モー
ウモー
モー
数《かず》が多《おお》すぎる!!

9

10

ウモ
だめだこりゃ！人手《ひとで》が足《た》らんわ！
ズズー！
モ゛ー
モー
よそに応援《おうえん》たのみましょう！
ドッドッドッドッドッ
御影牧場 TEL

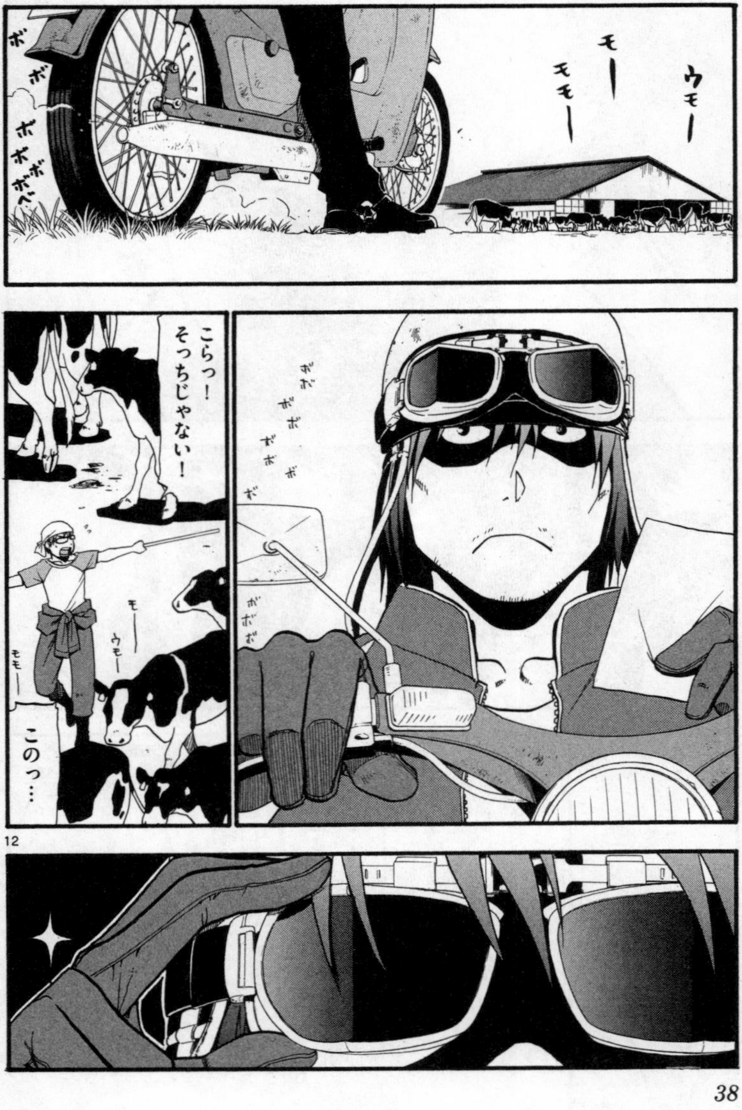

ウモー
モモー
モー
ボボ
ボボボボベ
ボボ
ボボ
ボボボ
ボ
ボボボ
こらっ！
そっちじゃない！
モー
ウモー
モモー
このっ…

12

13

ババババババババババババ
なんだぁ!?
ウモー
モォー
スーパーカブ!?
誰《だれ》か知《し》らんがジャマするな…
ヴィーー
バババババ
モー
ヴモォッ
バババババババババ
ヴィ

14

ザザ
ガガ
ウモッ
ザシャアー
ヴィー
モオッ
ウモッ
ザザザ
15
おー、見事《みごと》！
ヴモー
モー
すご…牧羊犬《ぼくようけん》みたいだ。
モー
モー
ウモー
誰《だれ》だ、あれ？

ヴォ～
かっこい――!
はあーっ……
あ!?
ヴオッ
ぷりぷりぷりぷり
ずるうっ

おあ～～
どがべしゃーん
プスン…
モ?
ウモ?
おい、大丈夫《だいじょうぶ》か!
あてて…調子《ちょうし》に乗《の》りすぎた…
ケガは?
ぶぇ——なんだこりゃ。牛《うし》のクソってこんなベチャベチャなのか?
ぺっ ぺっ ぺっ
兄《にい》ちゃんどこの誰《だれ》さ?
……その声《こえ》は…

18

Silver Spoon
Hiromu Arakawa Presents

第《だい》20話《わ》
夏《なつ》の巻《まき》⑩

相川 進之介
幕別東中 出身
ホルスタイン部

八軒君《はちけんくん》の…お兄《にい》さん？
そう！
………苦手《にがて》？
うん、話《はなし》するのもすげーヤだ！
うーん…人当《ひとあ》たり良《よ》さそうなお兄《にい》さんだけどなぁ。
これ初期のカブじゃねえ？
ラーメン屋のおやっさんにもらったんス。
上《うわ》っ面《つら》に騙《だま》されるな御影《みかげ》!! あいつには話《はなし》が通《つう》じない!!

3

ちゃんと話《はな》し合《あ》えば わかり合《あ》えるって 八軒君《はちけんくん》、私《わたし》に 言《い》ったじゃない。
大丈夫《だいじょうぶ》 大丈夫《だいじょうぶ》！
ファイッ!!
ううう!! 己《おのれ》の言葉《ことば》に首《くび》を 絞《し》められるとは!!
……！
なんでここに いるんだよ 兄貴《あにき》！
勇吾《ゆうご》と 連絡《れんらく》とれないから 様子《ようす》見《み》てきてって、 お袋《ふくろ》に 頼《たの》まれたんだよ。
ちょうどバイクで 北海道中周《ほっかいどうじゅうまわ》ってたから ついでにエゾノーまで 見《み》に行《い》ったワケよ。
そしたら寮《りょう》は工事中《こうじちゅう》で 生徒《せいと》は誰《だれ》もいないし、 事務所《じむしょ》に訊《き》いたら 外泊届《がいはくとどけ》が出《だ》されてる って言《い》うし…
御影《みかげ》アキって 女《おんな》の子《こ》の家《いえ》に 泊《と》まりこんでるって 聞《き》いたぞ。
おまえ ヒモなの？
バイトだよ!!

今時期《いまじき》バイクで北海道《ほっかいどう》周《まわ》ってるって…学生《がくせい》さんか何《なに》かかい？
大学生《だいがくせい》。東京《とうきょう》の大学《だいがく》に行《い》ってるんです。
わー、遠《とお》い所《ところ》だねー。
何大《なにだい》？
東大《とうだい》。
ああ、大学《だいがく》はやめちった。
今《いま》はラーメン作《つく》ってる。
やめた!?
ラーメン!?
東京《とうきょう》で食《く》ったラーメンが美味《うま》くてさー！「これだ!!」ってビビッと来《き》たね！その場《ば》で店《みせ》のおやっさんに弟子入《でしい》りお願《ねが》いしちゃった位《くらい》！

5

いや俺《おれ》って自分《じぶん》で言《い》うのもなんだけど、味覚《みかく》は良《い》いんだよね！
スープのレシピ言《い》い当《あ》てたらおやっさんに認《みと》められてさー！
………
いやー、俺《おれ》みたいなのが入《はい》れるんだから、
東大《とうだい》とかたいした事《こと》無《な》いっスよ。
いつかのれん分《わ》けしてもらって俺《おれ》の店《みせ》を出《だ》すのが夢《ゆめ》っス！
せっかく東大《とうだい》入《はい》ったのにもったいねぇなー。
受《う》かるための勉強法《べんきょうほう》ってのがありましてねー。
へー
ほー
わかるか御影《みかげ》…
死《し》ぬ気《き》で勉強《べんきょう》やってきて挫折《ざせつ》した人間《にんげん》のライフゲージを根《ね》こそぎ持《も》ってくこいつの言動《げんどう》…
あ…うん…簡単《かんたん》に話《はな》し合《あ》いとか言《い》ってごめん…
お兄《にい》さんが何《なに》言《い》ってるのか私《わたし》わからない…

6

モーー
モモーー
よっしゃ これで全部《ぜんぶ》収容《しゅうよう》できた！
ウモーー
役場《やくば》と農協《のうきょう》に連絡《れんらく》して牧場《ぼくじょう》に戻《もど》してもらうべ。
ウンモーー
夕方《ゆうがた》の搾乳《さくにゅう》までにうちの牛《うし》も選《よ》り分《わ》けんとな。
あ〜〜〜 走《はし》り回《まわ》ったら腹《はら》減《へ》ったな〜
ピーー ヒョロロー
そういや昼《ひる》メシまだだったな。
兄《にい》ちゃん牛追《うしお》ってくれてありがとうな！ なんも無《な》いけどメシ食《く》ってけや！
ばあちゃん、ご飯《はん》の仕度《したく》しよう。
はいよー
これから仕度《したく》っスか？
ラーメン！いいねぇ！
なんなら俺《おれ》が作《つく》りましょうか、
ラーメン。
でもうちには材料《ざいりょう》無《な》いわよ。

大丈夫《だいじょうぶ》っス！スープと麺《めん》はいつも持《も》ち歩《ある》いてるんで！
ごそごそ
牛《うし》の糞《ふん》だらけの体《からだ》でメシ作《つく》るとかやめんかー!!
なにをう!? 牛《うし》のうんこからは「バニリン」っていうバニラの香《かお》り成分《せいぶん》がとれるんだぞ!! イグノーベル賞《しょう》とったんだぞ!! 牛《うし》のうんこなめんな!!
キリッ
牛《うし》の腸内《ちょうない》にはO《オー》ー一一一《イチイチイチ》やらO《オー》ー一五七《イチゴナナ》やらの腸管出血性大腸菌《ちょうかんしゅっけつせいだいちょうきん》がいるんだよ!! そっちこそ牛《うし》のうんこなめんな!!
バニラ豆を原料にする方法と比べてコストは半分他の草食動物の糞も利用牛糞1グラムに水4リットル200度で60分加熱する事150マイクログラムのバ
そもそもバニラ成分リグニンから生成するその辺のおがくずを使セルロースの副産物と
コスト面ならグアイアコールと化合物を使用して合成するならライホルミル化した方が
牛糞100グラムから1.2グラムのガソリン実用化に向けて試
ぎゃーわー
ぎゃーわー
難《むずか》しい事《こと》言《い》ってるけどうんこの話《はなし》だべ？
八軒君《はちけんくん》が呪文《じゅもん》を唱《とな》えている！
どーでもいいから早《はや》くラーメン食《く》わせてくれんべか。
ぐー
おーさすが農家《のうか》！でかいナベが普通《ふつう》にある！

8

ラーメンならチャーシューがいいんだろうけど、豚肉《ぶたにく》切らしちゃってるんだわ。
そうだ、これ使《つか》えるかね。
鹿肉《しかにく》。
おお！
車《くるま》ではねたやつを八軒君《はちけんくん》が捌《さば》いたのよ。
へ――勇吾《ゆうご》が！
やるなぁ、あいつ。
ひー
はー
ふー…

お、そうだ！
お袋《ふくろ》に電話《でんわ》しなくちゃ……
…って、あれ？
ここ圏外《けんがい》だよ。
急《いそ》ぎならうちの電話《でんわ》使《つか》ったらいいよ。
すんませんねー。
お袋《ふくろ》が心配《しんぱい》してるからなるべく早《はや》く伝《つた》えたくて。
もしもしお袋《ふくろ》？
俺《おれ》、慎吾《しんご》。
あいつケータイ通《つう》じない山奥《やまおく》の農場《のうじょう》でバイトしてたわ。
元気《げんき》にやってるよ。
学校《がっこう》も見《み》てきた。
色々《いろいろ》と面白《おもしろ》い授業《じゅぎょう》やってるみたいだよ、ピザとか。
うん、そう。
楽《たの》しくやってるみたいだから放《ほう》っといて…
ピザだと？
ええ、勇吾《ゆうご》が学校《がっこう》で作《つく》ったとか…
くだらん、代《か》われ。
ちょっとお父《とう》さん…

10

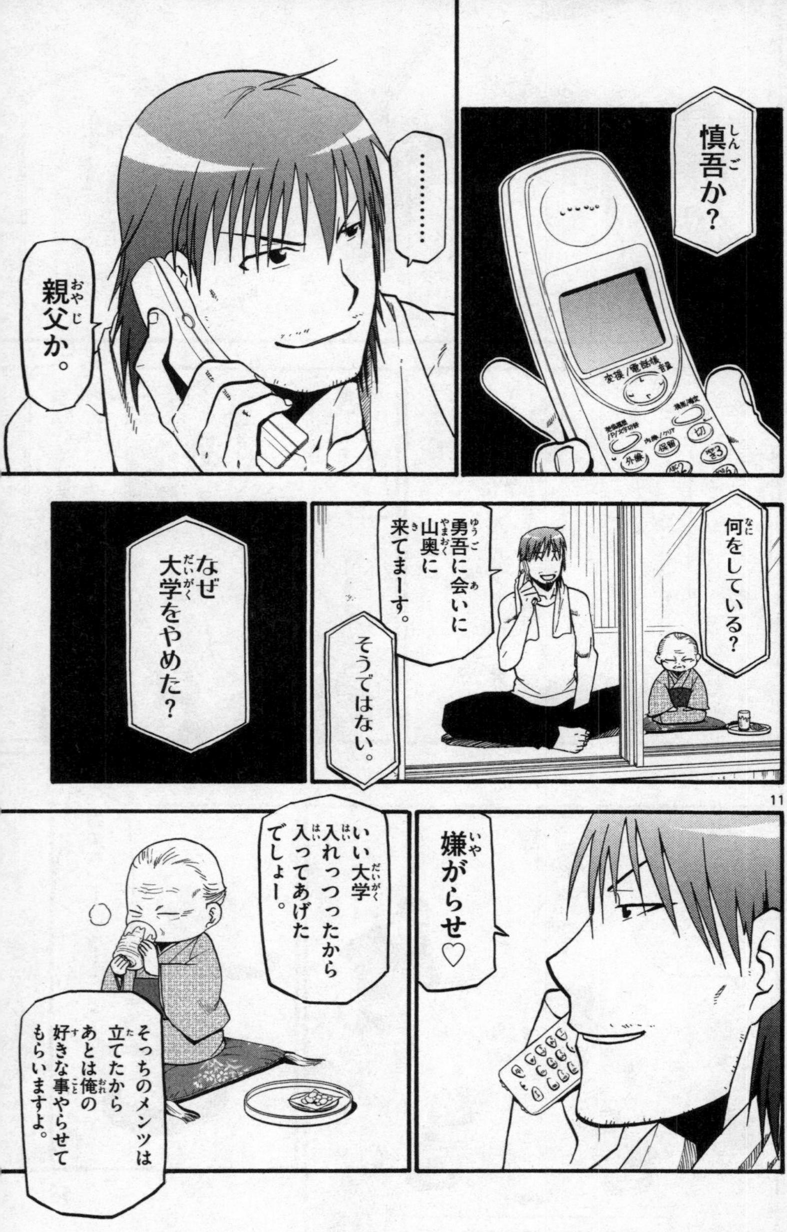

慎吾《しんご》か？
……
親父《おやじ》か。
何《なに》をしている？
勇吾《ゆうご》に会《あ》いに山奥《やまおく》に来《き》てまーす。
そうではない。
なぜ大学《だいがく》をやめた？
嫌《いや》がらせ♡
いい大学《だいがく》入《はい》れっつったから入《はい》ってあげたでしょー。
そっちのメンツは立《た》てたからあとは俺《おれ》の好《す》きな事《こと》やらせてもらいますよ。

………ラーメンだピザだと揃《そろ》いも揃《そろ》って碌《ろく》でもない…
勇吾《ゆうご》は？そばにいるのか？
バイト先《さき》で仕事中《しごとちゅう》だよ。
12
そのバイト先《さき》を教《おし》えろ。
嫌《いや》でーす。さいならー。
切
ブツン
子供《こども》が頑張《がんば》ってるのに親《おや》がしゃしゃり出《で》て来《く》るなんてヤボですよねー。
そう思《おも》いませんか？
ハラ減《へ》った。
あ　はい、今《いま》すぐ作《つく》ります！
おまちどーさん！
お、うまそー！
豚肉《ぶたにく》が無《な》かったので鹿肉《しかにく》をチャーシューにしてみました！

あれ？
この鹿肉《しかにく》って…
聞《き》いたぞ
勇吾《ゆうご》。
鹿《しか》
捌《さば》いたんだって？
すげーな！
ふ…
ふふん…
東大《とうだい》やめてまで
選《えら》んだ
ラーメン道《どう》、
お手《て》並《な》み
拝見《はいけん》と
いこうか！
いただきまーーす
ずずっ

不味《まず》い!!!
あーーもう
あーーーもう!!
なんだこれ
ビックリだよ!!
いやほんと
ビックリだよね!!
俺《おれ》って味覚《みかく》の
センスは有《あ》っても、
料理《りょうり》のセンスは
無《な》いんだよ!!
自分《じぶん》が関《かか》わった食材《しょくざい》を
こんなに不味《まず》く加工《かこう》されると
心《こころ》がへし折《お》れるッ……!!
最近《さいきん》
美味《うま》いものばっか
食《た》べてたから
余計《よけい》……!!
あらー、
ひいおばあちゃん
いい食《た》べっぷり!
嬉《うれ》しいねー!
開拓時代《かいたくじだい》に食《た》べた
豚《ぶた》のエサ
みたいな飯《めし》と
比《くら》べたら美味《うま》い。
ずずるるる

14

うおっ！でかっ！
ぷふー
馬《うま》つーか象《ぞう》でしょ、これ。
まだこいつらは小《ちい》さい方《ほう》だよ。
15
ばんえい馬《ば》でしたっけ？競馬《けいば》って儲《もう》かるんでしょ？
いやあ昔《むかし》は良《よ》かったけどね、今《いま》は儲《もう》からんよ。
かわいがって育《そだ》てても肉用《にくよう》になっちゃうのが多《おお》いしな。
ま、年寄《とし》りの道楽《どうらく》で続《つづ》けてるようなもんだね。
おい兄貴《あにき》、仕事《しごと》のジャマすんなよ！
してないよ失礼《しつれい》な！

慣《な》れたもんだなぁ。
一応《いちおう》これでも馬術部員《ばじゅつぶいん》だしな。
農高《のうこう》といい部活《ぶかつ》といい意外《いがい》だよなぁ。
おまえ動物好《どうぶつず》きだったっけ？
うるさい！俺《おれ》だってこんな高校生活《こうこうせいかつ》予想《よそう》してなかったよ！
エゾノー少《すこ》し見《み》てきたけど、面白《おもしろ》いなあそこ。
いい学校《がっこう》じゃん！
……
まぁ、悪《わる》い学校《がっこう》じゃないよ……

16

いい豚《ぶた》
いっぱいいたし！
あれ
チャーシューに
したら
美味《うま》そう
だよな～！
八軒君《はちけんくん》
長《なが》いことバイト
おつかれ様《さま》――!!
いやぁ
あんまお役《やく》に
立《た》てなくて
すみませんでした。
パチ パチ パチ パチ パチ パチ パチ パチ パチ パチ パチ
そんな事《こと》
無《な》いよ、
すごく助《たす》かった！
いやあー
お給料《きゅうりょう》
はずんじゃう
からね！
やった
報酬《ほうしゅう》…！

はい報酬《ほうしゅう》。
ごめんね 現物支給《げんぶつしきゅう》で…
うち、経営《けいえい》苦《くる》しくて…
ほほ
ほほ
はは
ははは
あ、でもこの子《こ》大《おお》きく育《そだ》てれば良《よ》い値《ね》で売《う》れるから!
投資《とうし》みたいな?
自分《じぶん》で食《た》べるって手《て》もあるぞ!
ほほ
ほほほ
はは
はははははははははははは
ちゅうちゅう
むしゃれろれろ
むしゃもしゃ
チュンチュン
チュン
ピリリリッ
ピリリリッ
ピリリリッ

ぐおおおおお
もしゃ
もしゃ
ごおおおお
チュン！
どーもお世話《せわ》になりました。
もっとゆっくりしていけばいいじゃないか。
ラーメンの師匠《ししょう》に「何年《なんねん》かかっても究極《きゅうきょく》の食材《しょくざい》を集《あつ》めて来《こ》い」って旅《たび》に出《だ》されたんでね！
日本中《にっぽんじゅう》…いや世界中《せかいじゅう》回《まわ》らないと！
ああ……うまい事言《ことい》って実質《じっしつ》クビ宣告《せんこく》ね……
じゃあな勇吾《ゆうご》、達者《たっしゃ》でな！
ドルルーン
兄貴《あにき》のラーメン食《く》ったから達者《たっしゃ》じゃなくなったっつーの！

ははは！精進《しょうじん》するよ！
俺《おれ》が店《みせ》出《だ》したらみんなで食《く》いに来《き》てくれよな！
またな――っ
ヴィ――
食《た》べに行《い》くの？
食《た》べに行《い》くどころか出店《しゅってん》を阻止《そし》してやる!!
ヴィ
校長《こうちょう》が「夢無《ゆめな》いのが良《よ》い」って言《い》ってて意味《いみ》わかんなかったけどこれはアレだな、
下手《へた》な夢《ゆめ》は周《まわ》りに迷惑《めいわく》って事《こと》だな！
……お兄《にい》さん、いつかラーメンで人《ひと》を殺《ころ》しそうだよね……

Silver Spoon
Hiromu Arakawa Presents

石坂 美穂

大樹中央中 出身

実家 酪農家

卓球部

ワンワンワン
こんにちは！
ワン
お？
駒場《こまば》んとこの双子《ふたご》じゃん。どした？
よかった、まだ帰《かえ》ってなかった。
なに？俺《おれ》に用《よう》？
うん！
ごそごそ
トウキビたべてもらおうとおもって！
第《だい》21話《わ》 夏《なつ》の巻《まき》⑪
こんにちは
あら良《い》いトウキビ！
こんにちは！
こんにちは！
初物《はつもの》だよ！さっきもいできたばっかり！みんなでたべて！
わー

第《だい》21話《わ》 夏《なつ》の巻《まき》⑪

なんだこれ!?
甘《あま》っ!!
砂糖《さとう》入《はい》ってる!?
茹《ゆ》でるのに塩《しお》を少《すこ》し入《い》れただけだよ。
おいしい? おいしい?
超《ちょう》うまい!!
やったーー やったーー うれしいなー
むしむし
?
二野《にの》がたねまきしたの!
三空《みそら》がざっそうをとったの!
キツネよけのさくもふたりでつくったよ!
むしむし
そんな苦労《くろう》して作《つく》ったトウキビの初物《はつもの》を俺《おれ》に?
うん! このまえウシのエサやりてつだってもらったから!
良《い》い子達《こたち》………!!
くっ…

お!? トウキビ!?
ちょっと待《ま》ってろ!!
はいはいはいはいはいはいは
いはいはいはいはい はいはいは
じゅわぁぁあぁ
やっぱ焼きモロコシ《コレ》だろ!!
ぶわわっ
う・ま〜〜〜!!!
だべ? だべ?

4

ナスも焼《や》くべ!!
あっ、醤油《しょうゆ》足《た》りない!!
ミソ持《も》って来《こ》いや!!
はいはいー
しかし なんなんだろうな、
美味《うま》いもんが手《て》に入《はい》ったら仕事《しごと》放《ほ》ったらかして小《しょう》パーティーを開《ひら》いてしまうこのノリは!
もりもりもり
そして美味《うま》い物《もの》を人《ひと》に食《た》べてもらう時《とき》のこの人達《ひとたち》のわくわく顔《がお》といったら…
たべる? たべる?
おかわり? おかわり?
おいしい? おいしい?
それにしても美味《うま》いなー。
これ特別《とくべつ》な品種《ひんしゅ》?
ううん、どこにでもあるふつーーのだよ。
もぎたてをすぐ茹《ゆ》でないとこの味《あじ》は出《で》ないよね。
トウキビはもいだ瞬間《しゅんかん》から甘《あま》みがグングン落《お》ちていくから。
そういやとれたての美味《うま》さはピザ会《かい》の時《とき》西川《にしかわ》も言《い》ってたなぁ。
たいていの物《もの》はとれたてが美味《おい》しいよ。
こういうの食《た》べられるのが現場《げんば》の特権《とっけん》だよね。
イモやカボチャなんかは、収穫後《しゅうかくご》少《すこ》し置《お》いた方《ほう》が、デンプンが糖《とう》に変《か》わって美味《おい》しくなるけどね。

5

とれたてが一番《いちばん》美味《うま》いのかー……………
牛乳《ぎゅうにゅう》も搾《しぼ》りたてが一番《いちばん》美味《うま》いんですかね?
ああ美味《うま》いよ!普段《ふだん》は沸《わ》かし殺菌《さっきん》して飲《の》んでるけど生《なま》は美味《うま》いよ!
それ飲《の》んでみても…
ダメ。
食品衛生法《しょくひんえいせいほう》で、特例《とくれい》をのぞき加熱殺菌《かねつさっきん》してない生乳《せいにゅう》は商《あきな》い用《よう》にしちゃいけない決《き》まりになってる。
…そっか――……
ざんねん…

6

ただし
あくまで
商《あきな》い用《よう》であって、
酪農家《らくのうか》が自分《じぶん》ちで
飲《の》む分《ぶん》については
特《とく》に決《き》まりが
無《な》かったりする
訳《わけ》で〜
まぁ自己責任《じこせきにん》
つーか〜
たとえば
俺《おれ》が見《み》てない所《ところ》で
八軒君《はちけんくん》が勝手《かって》に
※バルク開《あ》けて生乳《せいにゅう》
飲《の》んじゃって〜
もし
腹壊《はらこわ》しても
俺知《おれし》らねーっ
つーか〜

※バルク=バルククーラー。牛乳冷却《ぎゅうにゅうれいきゃく》タンク。

知《し》らねーったら
知《し》らね――
ぴしゃ
いやほんと、
ガラッ
俺《おれ》が見《み》てない所《ところ》で
こっそり飲《の》んでも
責任《せきにん》持《も》たねーぞ?
人《ひと》に美味《うま》いものを
食《く》わせようとする時《とき》の
わくわく顔《がお》を
している…!!!

8

ガラッ
ズだだだだだだだ
9
すたーん
ずしゃー
五体投地
しかし八軒君《はちけんくん》は何《なに》食《く》わせても反応《はんのう》が大《おお》げさで面白《おもしろ》いなぁ。
や、美味《うま》いですもん！オーバーにもなりますって！

大《おお》げさって事《こと》は小《ちい》さな味《あじ》の違《ちが》いもそれだけ大《おお》きく感《かん》じてるって事《こと》だよな。
かなり味覚《みかく》良《い》い方《ほう》か？
そういや食品科《しょくひんか》の先輩《せんぱい》に味覚《みかく》を褒《ほ》められた事《こと》があります。
兄貴《あにき》も味覚《みかく》に自信《じしん》あるって言《い》ってたし、兄弟《きょうだい》そろって良《い》い舌《した》してんでないの？
なんでですかね？遺伝《いでん》か何《なに》か？
いや——そりゃアレだべ、
君《きみ》らが子供《こども》の頃《ころ》から親《おや》がちゃんとしたもの食《た》べさせてくれてたんだべ。

おうバイト！
準備《じゅんび》できたか!?
搾乳室《さくにゅうしつ》に
牛《うし》入れるぞ！
！
は…はい！
カチ。
搾乳開始《さくにゅうかいし》…っと。
ヴィー
シュゴー
シュゴー
シュゴー
早《はや》いもんだなぁ。
明日《あした》で
夏休《なつやす》み終了《しゅうりょう》か。
あっという間《ま》でした！
八軒君《はちけんくん》
よく頑張《がんば》ったよなぁ！
シュゴー
シュゴー
シュゴー
…まぁまぁだな。

バイト代《だい》はずんどくか！
！
——そっか、バイト代《だい》もらえるんだ！
自由《じゆう》に遣《つか》える金《かね》か…何《なに》買《か》おうかな〜〜〜
あれもこれも買《か》えるな〜〜〜
ドボボボボボ
ドボボボ

12

ドボボ
ボボボボボボ
父《とう》さん
じいちゃん!!
パイプはずれてる!!
牛乳《ぎゅうにゅう》全部《ぜんぶ》
こぼれてる!!
はぁ!?

あああ———
やっちまった~~~~~~!!
もったいねーなー。
いつからはずれてたのこれ!
あ………
俺《おれ》……搾乳《さくにゅう》始《はじ》める時《とき》に…
バルクに…ホースつなぎ忘《わす》れた…
最初《さいしょ》から?
て事《こと》は、かなりの量《りょう》捨《なげ》てちまったなぁ。

ん〜〜〜〜
500リットルってとこか。
やっちまったもんはしょうがねぇわ。さっさと残《のこ》りの牛《うし》も搾《しぼ》るべ。
アキ、ここきれいに流《なが》しとけ。
はぁい。
ジャバババババ
ぼーっとすんな!
ぺん
落《お》ち込《こ》んでても牛《うし》は待《ま》っててくれやしねーぞ!
ほれ!早《はや》く搾《しぼ》らんと残《のこ》りの牛《うし》が※乳房炎《にゅうぼうえん》になる!
悩《なや》んでるヒマなんて無《な》いんだよ!
モー
モー
モー
どうしたのー
早く搾ってー
おっぱいはちきれちゃうわー
………はい…
ゴポポ…

※乳房炎《にゅうぼうえん》＝乳頭口《にゅうとうこう》から原因菌《げんいんきん》が侵入《しんにゅう》し、乳房内部《にゅうぼうないぶ》で炎症《えんしょう》を起《お》こす病気《びょうき》。

16

……御影《みかげ》、牛乳《ぎゅうにゅう》の値段《ねだん》っていくら位《くらい》すんの？
値段《ねだん》？買《か》い取《と》り価格《かかく》の事《こと》？
今《いま》は加工用《かこうよう》だと、1リットルあたり80円弱《えんじゃく》で乳業《にゅうぎょう》メーカーが買《か》い取《と》ってくれてるかな。
500リットル80円《えん》だと4万円《まんえん》……
俺《おれ》のミスで4万円《まんえん》をドブに捨《す》てた…
え…いや待《ま》て、
それ以前《いぜん》に、買《か》い取《と》り価格《かかく》からエサ代《だい》とか経費《けいひ》もろもろ引《ひ》いたら………

ピチョーン
農家《のうか》の手元《てもと》に残《のこ》るのってめっちゃ少《すく》ないんじゃね!?
八軒君《はちけんくん》、お風呂《ふろ》出《で》た?
ちょっといらっしゃい。
はいバイト代《だい》!
年 月分
給料
自 年 月 日
至 年 月 日
NO.
八軒 殿
おつかれ様《さま》でした!
夏休《なつやす》みの間《あいだ》ほんと助《たす》かったわ!
おつかれー。

いいなー、私《わたし》もバイト代《だい》ちょーだい！
自営業《じえいぎょう》の子《こ》が家《いえ》の手伝《てつだ》いするのは当《あ》たり前《まえ》でしょ。
いつもそれだよー。
給料
あの…これ……
俺《おれ》、受《う》け取《と》れません…

Silver Spoon
Hiromu Arakawa Presents

三条 拓

新得トムラウシ中出身

サッカー部

これ………
給料
八軒
受《う》け取《と》れません。
なんで？
なんでって…今日《きょう》、すごい迷惑《めいわく》かけちゃって…
大事《だいじ》な商品《しょうひん》を大量《たいりょう》に捨《す》てるハメに…
ああその事《こと》で！しょうがないわ、一緒《いっしょ》に働《はたら》いてたじいちゃんと父《とう》ちゃんがチェックしなかったのも悪《わる》いもん！
ギク
だなぁ。

第《だい》22話《わ》 夏《なつ》の巻《まき》⑫

じゃあせめて損失分《そんしつぶん》の弁償《べんしょう》……
いらないいらない！
でも……
あのね八軒君《はちけんくん》、
この夏休《なつやす》みの間《あいだ》の君《きみ》の働《はたら》きについて、
給料
自 年 月 日
至 年 月 日
NO.
八軒 殿
そこに入《はい》ってる金額《きんがく》の価値《かち》があると私《わたし》ら雇《やと》い主《ぬし》が認《みと》めたって事《こと》なのよ。
その給料《きゅうりょう》は。
ぼそ
いいから受《う》け取《と》れ。

ぼそ
ぼそ
人間《にんげん》のやる事《こと》だもの、
たま〜には失敗《しっぱい》する事《こと》もあるべさ。
ぼそ
ただし命《いのち》が関《かか》わってる時《とき》は失敗《しっぱい》したらいかんよ。
ず……
御影牧場《みかげぼくじょう》の会長命令《かいちょうめいれい》には逆《さか》らえないっしょ？

給料
八軒殿
……ありがたくいただきます！
苦労《くろう》して、苦《にが》い思《おも》いして手《て》に入《い》れた金《かね》だ。
そうそう馬鹿《ばか》な事《こと》に遣《つか》おうとは思《おも》わんべ。
馬鹿《ばか》は碌《ろく》でもないものに金《かね》を遣《つか》う。
賢《かしこ》い奴《やつ》は自分《じぶん》の成長《せいちょう》のために遣《つか》う。

金《かね》の遣《つか》い方《かた》で
男《おとこ》の価値《かち》は
わかるものさ。

第《だい》22話《わ》 夏《なつ》の巻《まき》⑫

ミーーン
ミンミン
ミーーン
北海道
大蝦夷農業高等学校
おーっス
ひさしぶり!
課題やってない!!
やばくね?
大蝦夷農業高等学校
教育寮

お世話《せわ》になりました御影《みかげ》さん。
いえいえ、こちらこそ！
また人手《ひとて》が必要《ひつよう》になったらお願《ねが》いするわ。
え……
あんな失敗《しっぱい》したのに俺《おれ》なんかでいいんスか？
あんなに失敗《しっぱい》してヘコみまくったんだもの次《つぎ》は慎重《しんちょう》にやってくれるでしょ？
一回失敗《いっかいしっぱい》した位《くらい》で「俺《おれ》なんか」なんて言《い》っちゃダメよ。
またねー。
ブロロロ……

俺《おれ》、御影《みかげ》さん家《ち》の子供《こども》に生《う》まれたかった……
ほろり
八軒君《はちけんくん》、あとで馬術部《ばじゅつぶ》見《み》に行《い》かない？
乙種4類 試
会場
帰寮した者
名前札を返
忘れずに!
8月17日水曜
おーー いいよ。
忘れ物・落とし物
外
ざわ
ざわ
ざわ
ざわ
失礼しまーす
焼けたなおまえ！
ずっと部活だったし
よぉ相川《あいかわ》。
八軒君《はちけんくん》久《ひさ》しぶり！
あれ？少《すこ》し焼《や》けた？
138号室
A 西
D 八軒 勇吾
C 別府 太郎
137
ずっとバイトしてたから。相川《あいかわ》は痩《や》せたんじゃね？
うん…夏《なつ》バテして寝込《ねこ》んでた…
はは…
1か月《げつ》会《あ》わないとみんな変《か》わるな〜〜〜〜
ざわ
ざわ
ざわ
ざわ
ざわ
だねぇ。

相川《あいかわ》八軒《はちけん》おかえり。
おー。
ただいまー。
誰《だれ》あれ？
あんな女子《じょし》いたっけ？
女子寮部屋割
くる
C 高見さき
5号室
A 西里ゆ
D 稲田多摩子

タマゴ!!?
タマちゃん痩《や》せたねぇ！
ちょっと夏《なつ》バテしちゃってね…
は一　元気出ないわ一
だいじょぶ?
女《おん》こえー…痩《や》せたって言《い》うかトランスフォームだろあれ……
じゃあな
おっ
ただいまー。
おかえりー。
でん
NET 500g
塩

……なにコレ。
ゆでタマゴ。
さっき常盤《ときわ》が持《も》って来《き》たぞ。
塩まで入れてある…
NET 500g
塩
あー
そういや勉強教《べんきょうおし》えるかわりに卵食《たまごく》わせろってメールしたなぁ。
すげー量《りょう》だな。食《た》べきれないぞこれ。
そこらの奴《やつ》に声《こえ》かけてみるか。
ゆでタマゴあまってるけど食《た》べる?
卵《たまご》?

どか どか
食《く》う食《く》う!!
小腹《こばら》へった!
ぎゅう
塩《しお》くれ!
うま!
カラはゴミ箱《ばこ》でいいのか?
こっちも一個《いっこ》。
うめー。
畑《はたけ》に入《い》れとけや。
ぎゅう

ごっそさーーん。
ぞろ
ぞろ
ぞろ
ぞろ
ゲプッ
うまかったー
俺《おれ》、一個《いっこ》も食《た》べてねぇ!!!
俺《おれ》、五個《ごこ》しか食《た》べられんかった!
みんなとんでもないハイエナだな!
うっさいわブタ!!
しょうがない。ハチ、これをやるよ。
?
むぎ♡メモ
まんじゅう
よいではないか♪
……夏休《なつやす》みどこ行《い》ってきた?
ちょっと東京《とうきょう》へ。
♪どこにはろうかな

ハチは どうだったんだよ、夏休《なつやす》み。
俺《おれ》？
御影《みかげ》ん家《ち》に ず——っと 泊《と》まってたんだろ？
……………なんも 無《な》かったのか？
なんも 無《な》かった！
ふ……
東京《とうきょう》みやげ…
これも やるよ…
俺もう一個持ってるから…
いらねぇよ!!!

12

ヒヒン
ブルルッ
おっ！
寮生《りょうせい》みんな戻《もど》って来《き》たのか？
中島先生《なかじませんせい》、大川先輩《おおかわせんぱい》、おつかれ様《さま》です！
あれ？今日《きょう》って部活《ぶかつ》の日《ひ》でしたっけ？
いや、自主練《じしゅれん》。
先輩《せんぱい》一人《ひとり》ですか？
おう。休《やす》みの間中《あいだじゅう》みっちり馬漬《うまづ》け！
8月末《こんげつまつ》の大会《たいかい》で俺《おれ》ら三年《さんねん》は引退《いんたい》だからさ、
結果《けっか》残《のこ》しときたいじゃん。
ばしゃ
ばしゃ
ばしゃ

大会《たいかい》終《お》わったら就職活動《しゅうしょくかつどう》に本腰《ほんごし》入《い》れなきゃならんし。
最後《さいご》の青春《せいしゅん》？みたいな。
就職……
先輩《せんぱい》はやっぱ馬関係《うまかんけい》の仕事《しごと》に？
いや、近場《ちかば》でいい所《とこ》があればどんな会社《かいしゃ》でもいいと思《おも》ってる。
夢《ゆめ》とか無《な》いんスか？
夢《ゆめ》か？別《べつ》になぁ～
俺《おれ》そういうのに、こだわり無《な》いし。
あえて言《い》うなら「のんべんだらりと生《い》きたい」！これが夢《ゆめ》だな！
…そっスか…
自分《じぶん》に合《あ》った仕事《しごと》に就《つ》くってのはもちろん格好良《かっこうい》いけどさ、
自分《じぶん》を仕事《しごと》に合《あ》わせるってのも有《あ》りだと思《おも》うんだ。
ほら、馬《うま》と人間《にんげん》の関係《かんけい》みたいにさ。
自分《じぶん》に合《あ》った馬《うま》に乗《の》るのは楽《らく》でいいですけど、
馬《うま》の個性《こせい》に自分《じぶん》を合《あ》わせていく乗《の》り方《かた》も面白《おもしろ》いですよ。
はぁ…

ここの学校《がっこう》に来《き》てるのって、将来《しょうらい》なりたいものがしっかりある人《ひと》ばっかだと思《おも》ってた。
大蝦夷農業高等学
うちのクラスは後継《あとつ》ぎが多《おお》いからそう感《かん》じるんじゃない？
そっか——先輩《せんぱい》は引退《いんたい》とか進路《しんろ》とか考《かんが》える時期《じき》なんだね。
入学《にゅうがく》してからもう5か月《げつ》か。
あっという間《ま》だったな〜
目標《もくひょう》みたいなものみつかった？
ぜんぜん！
与《あた》えられた作業《さぎょう》を必死《ひっし》こいてクリアするので精一杯《せいいっぱい》！
溺《おぼ》れながら死《し》ぬ事《こと》もできずに流《なが》されてる感《かん》じ！
そっか…
ジーーワ
ジワジワ
ジーーーー…！
ほんと俺《おれ》、どこに向《む》かってんだろ…

ぶいー
ぶきー
ぶきー
そうだ、豚丼《ぶたどん》見《み》てこ！
私《わたし》も見《み》たい！
1か月《げっ》近《ちか》く会《あ》ってないからな〜
あいつ元気《げんき》かな〜
こんにちはー。
でぶ
ん
がふ
がふ
がふ
がふ
がふ
もっちゃ
もっちゃ
くっちゃ
くっちゃ
もっちゃ
もっちゃ
くっちゃ
くっちゃ

豚《ぶた》丼《どん》がブタになってる!!!
豚丼《ぶたどん》はブタだよ八軒君《はちけんくん》！
たった1か月《げつ》でこんなダルッダルのブクブクになるなんて……
豚《ぶた》の成長速度《せいちょうそくど》パねぇ……
すごい…
あの可愛《かわい》かった子豚《こぶた》の面影《おもかげ》があっという間《ま》に無《な》くなっちゃった。
ぶい
ぶい
ぶい
ダルダルのブクブクとバカにするな。
ぬっ
豚《ぶた》の体脂肪率《たいしぼうりつ》は15%《パーセント》前後《ぜんご》だ！

ヒト♂平均《へいきん》
10〜20%《パーセント》
ヒト♀平均《へいきん》
20〜30%《パーセント》
ブタ平均《へいきん》
15%《パーセント》
さっき別府《べっぷ》にブタって言《い》っちゃった…ごめんブタ…
あわわ…
私《わたし》ブタよりブタだわ…
ぶぃ
ぶぃ
生《う》まれた時《とき》は小《ちい》さくてどうなるかと思《おも》ったが、順調《じゅんちょう》に育《そだ》ったな。
このまま予定通《よていどお》り出荷《しゅっか》できそうだ。
ぶぃ？

Silver Spoon

Hiromu Arakawa Presents

松山雄一

大樹中央中出身

野球部

第《だい》23話《わ》 夏《なつ》の巻《まき》⑬
ぶご
ぶご
…あの～～ 富士《ふじ》先生《せんせい》…
なんだ？
こいつら肉《にく》にしないで生《い》き延《の》びさせたり…
しない。
肉用《にくよう》として売《う》る。

1

…ですよね…
かり
かり
教育寮
よう八軒《はちけん》、御影《みかげ》!
久《ひさ》しぶり───!
……誰《だれ》?
常盤《ときわ》だYO《ヨ》!
1+1は?
3!!
あ、ホントだ常盤《ときわ》だ。
なんだこのトサカ!ニワトリリスペクト!?
え?常盤《ときわ》?
常盤《ときわ》なの?
フフ…みんな俺《おれ》の変化《へんか》に驚《おどろ》いているようだな!

2

これが夏休《なつやす》みデビューってやつかぁ…
ごくり…
うわ、生《なま》で初《はじ》めて見《み》たわ。本当《ほんとう》にいるんだ。
似合《にあ》わない〜〜〜〜
ゲラゲラ
笑《わら》える〜〜〜
うっさい!! だまれ女子《じょし》ども……
!?
バキューン
ななななななにあれ あのめんこいの!!
は? どれ?
あれ!! あの女《おんな》!!
あ゛ぁあ゛ぁあ゛ぁあ゛ぁあ゛ぁお゛ぉぉぼぁぁあ゛ぁ
タマコくらいの身長《しんちょう》で タマコくらいの髪《かみ》の色《いろ》の!!!
ああ……

あら駒場《こまば》、久《ひさ》しぶり。
お？タマコか？痩《や》せたなおまえ。
ザ！！
野球部《やきゅうぶ》はずっと部活《ぶかつ》だったの？
おー、練習《れんしゅう》と遠征《えんせい》ばっかだったわ。
こいつスゲーがんばってんの！秋大会《あきたいかい》からベンチ入《い》り確実《かくじつ》！
いっちゃんが!? 本当《ほんとう》に!?
やったねいっちゃん！
甲子園《こうしえん》連《つ》れてけ！
ふはは
おおおおお
俺《おれ》に打《う》たれたくせに。
ぼそ
4
ピッチャーフライだろが。ぞーきん牛乳《ぎゅうにゅう》飲《の》ますぞコラ。
ぎりぎりぎり
ごめんなさい。すんません。
ぎりぎりぎり
牛乳

校訓
勤労
協同
理不尽
8月予定表
9月予定表
校長
牛乳
第《だい》23話《わ》 夏《なつ》の巻《まき》⑬

キーンコーン
おはよーございまーっス
校訓
勤労
協同
理不尽
8月18日(木)
始業式
よーし、みんな揃《そろ》ってるなー?
夏休《なつやす》み中《ちゅう》は事故《じこ》も無《な》く先生《せんせい》ひと安心《あんしん》だ。
事故《じこ》どころか休《やす》みを満喫《まんきつ》しすぎてる奴《やつ》もいるようで…
常盤《ときわ》、起立《きりつ》!
髪《かみ》!!
アクセサリー!!
服装《ふくそう》!!
持《も》ち物《もの》!!

浮《う》かれてハメはずすなと休《やす》み前《まえ》に言《い》ったはずだぞ。
……ハイ……
おまえは学校《がっこう》の風紀《ふうき》を著《いちじる》しく乱《みだ》した!
それ相応《そうおう》の罰《ばつ》は覚悟《かくご》してるだろうな?
え……
数《かぞ》え役満《やくまん》だ!
処分《しょぶん》について職員会議《しょくいんかいぎ》にかける!
えええ
ええええ
まさか停学《ていがく》なんて無《な》いっスよね……
停《てい》学《がく》などなまぬるい!!
7

大変《たいへん》大変《たいへん》!!
酪農科
1-D
常盤《ときわ》の処分《しょぶん》が出《で》た!!
どよっ
職員室前《しょくいんしつまえ》に貼《は》り出《だ》されてる!!
8
ざわざわざわざわっ
処分《しょぶん》が貼《は》り出《だ》されてるって…
うそ!! 停学《ていがく》!?
告
1年 酪農科学科 D組
常盤 恵次
ゴゴゴゴ
の学生に
悪影響を及ぼした事
一週間の強制労働
処す
ゴゴゴゴ
………ですよね。

常盤《ときわ》〜がんばれよ〜
あいよ――!
ちくしょ〜〜…ちょっとはっちゃけただけじゃんかよ〜〜
はっちゃけすぎだっつーの。
しかもなんちゃってピアスだったのか
バリカンされた
反省《はんせい》の色《いろ》が無《ね》えなぁ。
そういうのが積《つ》み重《かさ》なると卒業《そつぎょう》させてもらえなくなるぞ。
ただでさえおまえ赤点《あかてん》だらけなのによ。
うあぁ……やばいいいいい…
勉強《べんきょう》は俺《おれ》が教《おし》えてやるから、みんな揃《そろ》って卒業《そつぎょう》しよーぜ。
友《とも》よ!!
9
友情《ゆうじょう》ついでに手伝《てつだ》ってはくれまいか!
さー部活《ぶかつ》行《い》こー。

んだよ ケチ〜〜
ぶっ ぶっ
それにしても でかくなったなぁ、豚丼《ぶたどん》！ あんな ちっこかったのに もう周《まわ》りの奴《やつ》らと 大《おお》きさ変《か》わんねー じゃん！
10
富士《ふじ》センセー、俺達《おれたち》にも ベーコン食《く》わせて くれねーかなー。
ミーン ミン ミン ミー……
ざかっ
ざかっ
ざかっ
ざかっ
ざかっ

豚丼《ぶたどん》……
ざかっ ざかっ
みんなで食《た》べるのかな…
ざかっ ざかっ ざかっ ざかっ
いやいやいや食《た》べ物《もの》だし！
ざかっ ざかっ
ペットじゃないし！
ざかっ ざかっ ざかっ
あ―――でもでも……
ざかっ…
ぶっ
ピタッ
ぶんぶんっ
あぶっ！あぶっ！あぶあぶあぁぁあ!!!

どっさ
いでえ!!
うわっ
大丈夫《だいじょうぶ》か？
ずり落《お》ちただけだ、大丈夫《だいじょうぶ》！
八軒君《はちけんくん》、今日《きょう》はもう乗《の》らない方《ほう》がいい。
え？
考《かんが》え事《ごと》ばかりして集中力《しゅうちゅうりょく》の無《な》い時《とき》に馬《うま》に乗《の》せる訳《わけ》にいきません。
危《あぶ》ないですし馬《うま》にも失礼《しつれい》です。
ぶふん

……すみません。
八軒《はちけん》、元気《げんき》無《な》いねぇ。
ですねぇ。
夏休《なつやす》み中《ちゅう》になんかあったのかな。
御影《みかげ》ん家《ち》でずっとバイトしてたんでしょ？
そうですけど。
……あんた達《たち》なんかあったの？
さくっ
何《なに》も無《な》いです。
さくっ

八軒《はちけん》はヘタレだねぇ〜〜〜
はぁあああぁぁ
そしてあんたはひどい女《おんな》だねぇ〜〜〜
え!? なんですか先輩《せんぱい》!
おつかれー。
おつかれ様《さま》でしたー。
アキは土日《どにち》のお祭《まつ》り行《い》く?
お祭《まつ》り?
緑《みどり》ケ《が》丘公園《おかこうえん》の。
屋台《やたい》いっぱい出《で》るって。
ん——…どうしようかな——
おつかれー
おつかれ様っス
八軒君《はちけんくん》、お祭《まつ》り行《い》かない?
祭《まつ》り?
そう!灰色《はいいろ》の農高生活《のうこうせいかつ》の中《なか》で夏《なつ》の思《おも》い出《で》を作《つく》りに!

夏《なつ》の……
思《おも》い出《で》…
迷子
鹿(死)
クマ(死)
東大!
兄貴
牛乳 捨てまくり
夏《なつ》の……思《おも》い出《で》…
え⁉ なに⁉ 私《わたし》なにかえぐった⁉
八軒君《はちけんくん》、気分転換《きぶんてんかん》にさ、
みんなでお祭《まつ》り行《い》こうよ!
ね!

たこ焼
たこやき 500円
ゅうり一本漬
焼だんご
うっひょーーう！
何《なに》から食《く》おうかなー！
祭
祭
祭
八軒《はちけん》、夏休《なつやす》み中《ちゅう》にバイトで稼《かせ》いだんだろ？おごってくれよ！
お？ハチ、今《いま》金持《かねも》ちなの？
え!?

16

う――――…
ダメだ！こんな所《とこ》では遣《つか》えない！
なんでだよー！
ブーブー
ケチー!!
ケチー!!
ブー
おまえこそバイトとかしなかったのかよ！
したよ！家《いえ》の手伝《てつだ》いしまくって小遣《こづか》いもらったよ！
でも全部《ぜんぶ》〝おシャレ〟に遣《つか》ってしまいました。
うわあ
ああ…
お金《かね》の遣《つか》い方《かた》が残念《ざんねん》な人《ひと》だ…
あら兄《にい》さん。
おう、多摩子《たまこ》。

先輩達《せんぱいたち》も来《き》てたんスか。
毎年《まいとし》祭《まつ》り《これ》が楽《たの》しみでなぁ！
祭
来《き》た!!
今年《ことし》も来《き》やがったぞ農高《のうこう》のガキどもが!!
高校生《こうこうせい》なんざ食《た》べざかりで手《て》ぇつけられんのに、その上更《うえさら》に労働《ろうどう》で腹減《はらへ》らしてるからな、あいつら！
焼きソバは飲み物です
奴《やつ》らの通《とお》った後《あと》の屋台《やたい》はペンペン草《ぐさ》も生《は》えぬという……
野獣《やじゅう》どもめ……
われら大蝦夷《おおえぞ》屋台連合《やたいれんごう》の名《な》にかけて奴《やつ》らの腹《はら》を満《み》たしてくれるわ!!
やきそば
クレープ
なにこの変《へん》な空気《くうき》……

18

Silver Spoon
Hiromu Arakawa Presents

音調津《おしらべつ》 陣

広尾 紅葉通中 出身

空手部

第《だい》24話《わ》 夏《なつ》の巻《まき》⑭

じゅううううう
たい焼
エゾノーのガキどもめ…
今年《ことし》こそ食《く》い倒《だお》れさせてやるわ!!
わたあめ 500円
大阪味自慢
うまい
広島風お好
本場の味!!
わかってるだろうなおまえら…
ぐるるる
るるる
るるる
合言葉《あいことば》は「残《のこ》さずきちんと食《た》べましょう」だ!!
押忍!!

第《だい》24話《わ》 夏《なつ》の巻《まき》⑭

氷
フランクフ
せんべい
うぉおおおおおおおおおおおおおお
タコ焼《や》き撃《げき》破《は》!!
売切れ
たこ焼 400円
焼《や》きそば撃《げき》破《は》!!
お好み焼
特製
売り切れ
完売
お好《この》み焼《や》き撃《げき》破《は》!!
炭《たん》水《すい》化《か》物《ぶつ》系《けい》をピンポイントで狙《ねら》って根《ね》こそぎに!!
他《ほか》の客《きゃく》の事《こと》を考《かん》えないなんてエゾノー生《せい》は鬼《おに》か!!
200円
汚《きたな》い食《く》い方《かた》しやがって!!
がんばれ炭《たん》水《すい》化《か》物《ぶつ》チーム!!
つり
ホワイト
いちご
ロン
コレート
どれでも1本 200円

3

こら——!!
おまえ達《たち》、なんというひどい食《た》べ方《かた》をしている!!
はっ!! 食品科《しょくひんか》の稲田先輩《いなだせんぱい》!!
お!? エゾノー生《せい》の中《なか》にも良心的《りょうしんてき》な奴《やつ》が、いるようだぞ!!
そうだ!! 他《ほか》の客《きゃく》の事《こと》も考《かんが》えろって言《い》ってやれ!!
炭水化物《たんすいかぶつ》ばっかりではなく栄養《えいよう》バランス良《よ》く、食《た》べ尽《つ》くしなさい!!
押忍《おす》!!
焼《や》き鳥《とりげき》撃破《は》!!
りんごあめ撃破《げきは》!!
カレー撃破《げきは》!!
チョコバナナ撃破《げきは》!!
あ——食《く》った食《く》った。
晩《ばん》メシ入《はい》らんなこりゃ。
おお!? 奴《やつ》ら勢《いきお》いが無《な》くなってきたぞ!
勝《か》てる!?
今年《ことし》こそ勝《か》てる!?

4

うーーっス。
どすどすどすどすどすどす
69連勝
肉
お!
相撲部《すもうぶ》
来《き》た。
新手《あらて》ーーーッ!!!
遅《おそ》かったな。
大蝦夷工業高校《エゾコー》との
合同練習《ごうどうれんしゅう》が
あったから。
ぐぐ〜
とりあえず
焼《や》きそば
5人前《にんまえ》。
ぐ〜
ぎゅるるる
ぐぐ〜
こっち
10人前《にんまえ》。
こっちも。
ギャーーー!!!
エゾコーの
奴《やつ》らも
来《き》てるぞ。
マジかよ!
どすどすどすどすどすどす
きそば
売切れ
奴《やつ》らに
食《く》い尽《つ》くされる前《まえ》に
食《く》っとこ!
食《く》い物屋台《ものやたい》の方《ほう》は
壮絶《そうぜつ》だな〜〜〜〜
射的
射的
エゾノー生《せい》の
恐《おそ》ろしさは
毎年《まいとし》 身《み》に
染《し》みてるからな!
今年《ことし》は
食《く》い物《もの》やめて
正解《せいかい》だったぜ。
くじ屋
射的
4発300円
ガシャン

ドパパ
パパパパパ
射的
射的
やる。
わーー!!
なんてことだ!
まだ昼間《ひるま》だと
いうのに
材料《ざいりょう》が尽《つ》きた!
夜《よる》からが祭《まつ》りの
本番《ほんばん》だというのに
もう店《みせ》じまいせねば
ならんのか……
クレープ
何《なに》かお困《こま》りかしら?
材料《ざいりょう》が何《なに》も無《な》いんだ…
クレープの
材料《ざいりょう》が…
クレープ
うちは
トウキビが…
ジャガイモと
バター!!

大蝦夷農業高校《エゾノー》に
行《い》けば
よろしくってよ。
おおおお
乳製品《にゅうせいひん》も
小麦粉《こむぎこ》も
野菜《やさい》も
格安《かくやす》よ!
おお
それ
行《い》け――!!
もしもし、
農場《のうじょう》の先生《せんせい》
いらっしゃいます?
今《いま》から買《か》い付《つ》けが
そっちに行《い》きますので
用意《ようい》しておいて
ください。
どかっどかっ
小麦粉
やった!
これで夜《よる》まで
もつぞ!
たまご
バター
クレープ
じゃがバタ
ありがとう
エゾノー―!

お、野球《やきゅう》部《ぶ》来《き》た。
ぞろ
ぞろ
練習《れんしゅう》終《お》わったー。
ハラ減《へ》ったー。
ぞろ
おっちゃん、クレープありったけくれー。
ぞろぞろ
ぞろ
ジャガバターも。
クレープ
こんちくしょうエゾノー!!!
恵次《けいじ》!
からあげ
ざんぎ
山賊焼き
ざんぎ
若どり
あれ?伯父《おじ》さん出店《しゅってん》してたの?
中札内若どり
JA
エゾノーの友達《ともだち》?
どーも、恵次《けいじ》の伯父《おじ》です。
こんにちはー!
エゾノー生《せい》が来《き》てるなら手《て》が足《た》りなくなるな。
恵次《けいじ》、ちょっと手伝《てつだ》え。
いいよー。
……って、来《き》た!!
ギャー──!!
ドドドドドドドドド
餓──っ!!!
心配《しんぱい》すんな伯父《おじ》さん!!
俺《おれ》が食《く》い止《と》めてや…
るあっ!
ドドドドドド
常盤ああああああああ
恵次いいいいいいい

みんなよく食《く》うよな〜
寮《りょう》に帰《かえ》ったら晩《ばん》ごはんあるのにね。
うま!
9
元気《げんき》出《で》た?
え?
ここんとこずっと元気《げんき》無《な》かったからさ。
おいしい物《もの》食《た》べたら元気《げんき》になるかなって思《おも》って。
あ……

わり…気《き》ぃ遣《つか》わせちゃって…
ううん、気《き》にしないで。
豚丼《ぶたどん》のこと?
うん……まあ……
自分《じぶん》の答《こた》えを保留《ほりゅう》しといてもあいつはおかまい無《な》しにでかくなってもう出荷目前《しゅっかもくぜん》になっててさ……
ミーン ミンミン ミ
……あせるっつーか
10
あっ…いや大丈夫《だいじょうぶ》!ほら!今日《きょう》、誘《さそ》ってもらって元気《げんき》出《で》たから!
ポーン
ご来場《らいじょう》の皆様《みなさま》にご案内《あんない》いたします。

公園中央《こうえんちゅうおう》にて
豚《ぶた》の丸《まる》焼《や》きを
ご提供《ていきょう》させていただきます。

皆《みな》さん、ぜひ味《あじ》わってみてください。
おー
すげー
うまそー
どず———ん
ああ……

11

……
……

そうだ!!いっそ菜食主義者《ベジタリアン》になってしまえば悩《なや》まなくて済《す》むのでは!?
牛串《ぎゅうくし》食《た》べる?
美味《うま》い!
でしょ?
俺《おれ》、菜食主義者《ベジタリアン》になれない!
でしょ?
うぁ〜〜〜ひでー目《め》にあった〜〜〜
ふらふらふらり
常盤《ときわ》!仕事《しごと》終《お》わったのか?
つーか、その光《ひか》リモンはなんだ!
ペカペカー
ペカペカ
バイト代《だい》もらったから買《か》った!
だからどうしてそういう物《もの》にお金《かね》を遣《つか》うの!
カラスか!!

12

八軒《はちけん》は豚《ぶた》の丸焼《まるや》き食《た》べねーの？
いらん いらん！
なんだよー、元《げん》気《き》無《な》いじゃーん。
豚丼《ぶたどん》の事《こと》でもやもやしてんのに丸焼《まるや》き食《く》えるかよ！
まだ悩《なや》んでんの？
おまえもーちょっとゆるく考《かんが》えればいいのに。
それができないのがハチなんだよ。
だから名前《なまえ》つけるなって言《い》ったのにねー。
13
あ〜〜どうしよ〜〜
どうしようって言《い》ったって…
おまえこの中《なか》で一番《いちばん》頭《あたま》良《い》いんだから俺達《おれたち》に振《ふ》るなよ！
菜食《さいしょく》？
でも私《わたし》も小《ちい》さいころ牛《うし》に名前《なまえ》つけてたなあ。
あるある！市場《いちば》に連《つ》れて行《い》かれて泣《な》いたわー。
牛《うし》はうまいよね。
豚のがうまいよ
結局は慣れだろ～？
わい わい
わら わら

八軒《はちけん》、あいつまだ豚《ぶた》の事《こと》で悶々《もんもん》してるのか。
さっさと気持《きも》ち切《き》り替《か》えればいいのにな。
根《ね》が真面目《まじめ》なんだろ?
あんなんじゃこの学校《がっこう》でやってくの辛《つら》いだろうに。
そうか?
わかったフリしてスルーする事《こと》だってできるはずなんだよ。
全人類が肉食をやめて菜食になったとすると…
食肉関係で仕事してる人全員ちがう仕事みつけなきゃならないね。
菜食主義にも色々あるよね、卵までならオッケーとか。
みんないつごろから愛玩と食用の区別ついてた?
そもそも菜食主義どうこうじゃハチの今回の悩みの根本的解決にはならないよ。
それなのにあいつは真面目《まじめ》に受《う》け止《と》めて周《まわ》りにも真面目《まじめ》に返《かえ》してる。
ピザの時《とき》もそうだったけど、真面目《まじめ》にやってるといつの間《ま》にか人《ひと》が集《あつ》まって来《く》るんだよなぁ。
価値観《かちかん》が凝《こ》り固《かた》まっている群《む》れに、八軒《はちけん》のようなある種《しゅ》 異物《いぶつ》が混《ま》ざる事《こと》によって、普段《ふだん》やらないようなディスカッションが起《お》こっている。

価値観《かちかん》の違《ちが》う物《もの》が
混《ま》ざれば
群《む》れは進化《しんか》する。
一年酪農科学科《いちねんらくのうかがくか》も
面白《おもしろ》くなってきたな。
だから
俺が
言いたいのは、
むずかしくて
わかんねー。
この公園《こうえん》、
冬《ふゆ》は氷祭《こおりまつ》り
会場《かいじょう》に
なるんだよ。
へー
また皆《みんな》で
来《こ》ようよ。
氷《こおり》の彫刻《ちょうこく》が
きれいなんだよねー。
いいね！
うん、
来《こ》よう！
俺《おれ》も俺《おれ》も！
常盤《ときわ》は
冬《ふゆ》までに
退学《たいがく》に
なるなよ。
うるせ!!
わははははははははは

あ。
兄貴《あにき》!?
おう、勇吾《ゆうご》に御影《みかげ》ちゃん!
なにやってんだよ!!
軍資金《ぐんしきん》が尽《つ》きたんでバイト中《ちゅう》。
八軒の兄ちゃん?
そっか、エゾノー生《せい》が来《き》てたのか。
どうりで買《か》い出《だ》しばっかやらされる訳《わけ》だ。
なんでこんな所《とこ》で…
ぶつぶつ
よかったな!

16

良《い》い友達《ともだち》いっぱいで楽《たの》しそうじゃん！
キャベツ

17

俺《おれ》、そこの焼《や》きそば屋《や》でバイトしてっからよかったら食《く》いに来《こ》いよ。
ちょっと安《やす》くしてやるよ。
マジっすか！お兄《にい》さん太《ふと》っ腹《ぱら》！
ちょっとだけだぞ！
うお、
まだ食うのか
八軒《はちけん》、行《い》かねーのか？
全部《ぜんぶ》食《く》っちゃうぞー。

はっ…
いかん!!!
みんな食《く》うな——っ!!!
バタ
ドテ
バタッ
勝《か》ったぞ——!!
エゾノー倒《たお》したぞ——!!
バンザーイ
ごめんよみんなぁぁぁぁぁ!
焼《や》きそばを不味《まず》く作《つく》れるって才能《さいのう》だと思《おも》います。
いやぁ、てれるな〜
やきそば
じゅうじゅう
やきそば 300円
大盛り
わっ!!

18

第《だい》25話《わ》 夏《なつ》の巻《まき》⑮

いただきまーーっス!
わ、
わい
うま!
ポークカレーだ!
やっぱカレーは豚《ぶた》っしょ!
わい
わい
わい
俺《おれ》チキンがいい。
ビーフだろ!
んーーやっぱ豚《ぶた》だな。
2
豚《ぶた》派《は》多《おお》いな!
うち、スキヤキも豚《ぶた》だぞ。
がっつり豚肉《ぶたにく》食《く》いてーなー。
豚丼《ぶたどん》とか!
豚丼《ぶたどん》……

ざわ
ざわ
うまかったー
やっぱ豚だろ
いや牛だね
職員室
【外泊する場合】
「失礼しました。」
注意事項
【外泊から帰寮した場合】
ざわ
ざわ
ざわ
……
……よし!
失礼《しつれい》しまーす。
ギィ…
す、すみません先生《せんせい》……
どうした八軒《はちけん》。
ちょっと相談《そうだん》なんですけど…

第《だい》25話《わ》
夏《なつ》の巻《まき》⑮

キーンコーン
部活行くべー
うち牛舎実習だよ!
豚舎
カーンコーン
あれ——?
なんで八軒《はちけん》が当番実習《とうばんじっしゅう》やってんの?
ぶいー
ぶいぶい
おう。
強制労働《きょうせいろうどう》…じゃないよな?
あ——……うん。
5
先生《せんせい》にたのんで豚丼《ぶたどん》の出荷《しゅっか》まで…
世話《せわ》させてもらうことにした。
そっかー、おまえこの豚《ぶた》気《き》に入《い》ってたもんなぁ。
つーか、なにを好《す》き好《この》んで実習《じっしゅう》を増《ふ》やしてんだ。
最後《さいご》まで世話《せわ》したら余計《よけい》に別《わか》れが切《せつ》なくなるじゃん。

マゾかおまえ!
わははははは
わかんないなー。
え?
八軒《はちけん》はなんでわざわざ苦行《くぎょう》の方《ほう》に行《い》くのかな、って。
苦行《くぎょう》!?
やりたくないピザ会《かい》の音頭《おんど》とったり豚《ぶた》に名前《なまえ》つけたり、
そもそも進学校《しんがくこう》からこんなガチ労働《ろうどう》のエゾノーに入学《にゅうがく》してくるってのがさー。
頭良《あたまい》いんだから普通科《ふつうか》に進学《しんがく》した方《ほう》が将来潰《しょうらいつぶ》しが効《き》くじゃん?
耳いたい…
うう…
どれもこれも流《なが》れでそうなってしまっただけで情《なさ》け無《な》い…
6
だからさ…今回《こんかい》は自分《じぶん》で考《かんが》えて豚《ぶた》の世話《せわ》に回《まわ》してもらったんだよ。
ちゃんと自分《じぶん》で選《えら》んで自分《じぶん》の答《こた》え出《だ》さなきゃ後悔《こうかい》するだけだと思《おも》ってさ……

あんた真面目《まじめ》だねー！
いや、だって焦《あせ》るだろ!!
こいつらちょっと見《み》ない間《ま》にあっという間《ま》に大《おお》きくなって出荷《しゅっか》カウントダウンだぜ!? 俺《おれ》が悩《なや》んでも知《し》らん顔《かお》して先《さき》に行《い》っちゃうんだぜ!?
人生《じんせい》とはそういうものなのよ。あきらめなさい。
それっぽい言葉《ことば》でまとめるなよ！
あはは、ごめんごめん。
実《じつ》はさ、頭堅《あたまかた》い奴《やつ》だなって最初《さいしょ》バカにしてたんだよ。
俺《おれ》の事《こと》!?
うん。
かきかき
私《わたし》ら殺《ころ》して食《た》べるって事《こと》今《いま》まであんまり深《ふか》く考《かん》えた事《こと》無《な》かったんだよね。
当《あ》たり前《まえ》すぎて。
だけどあんたはバカ正直《しょうじき》にそういうの考《かん》えこんじゃって、のたうちまわってるじゃん？
どーせバカですよ。
そういうの見《み》てて気付《きづ》いたんだ。
当《あ》たり前《まえ》だと思《おも》い込《こ》んでた物《もの》を一度《いちど》きちんと捉《とら》え直《なお》すのも大事《だいじ》だな、って。
ぽん
ぽん

すりっ
ゴン!!
…っ………
あだ～～～っ。
コッ…コブがっ
できちゃった…!!
大丈夫《だいじょうぶ》か～～～
ぶ?
8
あーもう、
八軒《はちけん》がかわいがるから
こんなに人懐《ひとなつ》っこく
なっちゃって、私《わたし》も
情《じょう》が移《うつ》っちゃったよ!
ぶぎぶぎ
かりかり
めんこいな
こんにゃろっ
この先《さき》、豚《ぶた》が
食《た》べられなくなったら
どうしてくれんの!
責任《せきにん》とってよね!
ぶぶ?
あ——
はいはい。
今日《きょう》も元気《げんき》に
強制労働《きょうせいろうどう》～～～♪
♪
♪
お、
八軒《はちけん》と吉野《よしの》!
できちゃった…
※コブが。

責任《せきにん》とってよね！
※ブタ食べられなくなったら。
……はい？
……
おつかれー
おつかれ様っしたーっ!!
うえ——すっげー汗《あせ》かいたー。
ギイッ
……
豚舎
……八軒《はちけん》、俺《おれ》話聞《はなしき》いちゃったんだけど…
何《なん》の？
豚舎《とんしゃ》で……吉野《よしの》との会話《かいわ》…
おまえどーすんの？責任《せきにん》とるの？
馬術部
あ——あの話《はなし》か。

9

あいつ(豚丼《ぶたどん》)の事《こと》は真剣《しんけん》に考《かんが》えてる!
俺《おれ》も男《おとこ》だ!(豚丼《ぶたどん》の)ケジメはきっちりつけるさ!
……八軒《はちけん》は大人《おとな》になったんだな……
え?ああまあな!
?
ふふふ…なんか尊敬《そんけい》された!
おうおつかれー。ハチ部活《ぶかつ》?
おー。
あちー
じゃーなー。
どかどか
バタン
?
どした常盤《ときわ》。
八軒《はちけん》と…吉野《よしの》が…
大変《たいへん》な事《こと》に…

10

ざわ
ざわ ざわ
酪農科
1－D
マジでか!?
八軒《はちけん》と吉野《よしの》?
本当《ほんとう》に!?
ざわ ざわ ざわ
ざわ ざわ ざわ
ハチが責任《せきにん》とるって…
え? それってつまり…
あいついつの間《ま》に…
なに?
男子《だんし》どもヒソヒソとやな感《かん》じ!
誰《だれ》にも言《い》うなよ?
誰《だれ》にも言《い》うなよ?
ここだけの話《はなし》だぞ?
にゅっ
えええええ!!?
八軒《はちけん》と吉野《よしの》が!!?
しーーーっ!!
声《こえ》がでかい!!
ゴトッ
ゴロ
ゴロ

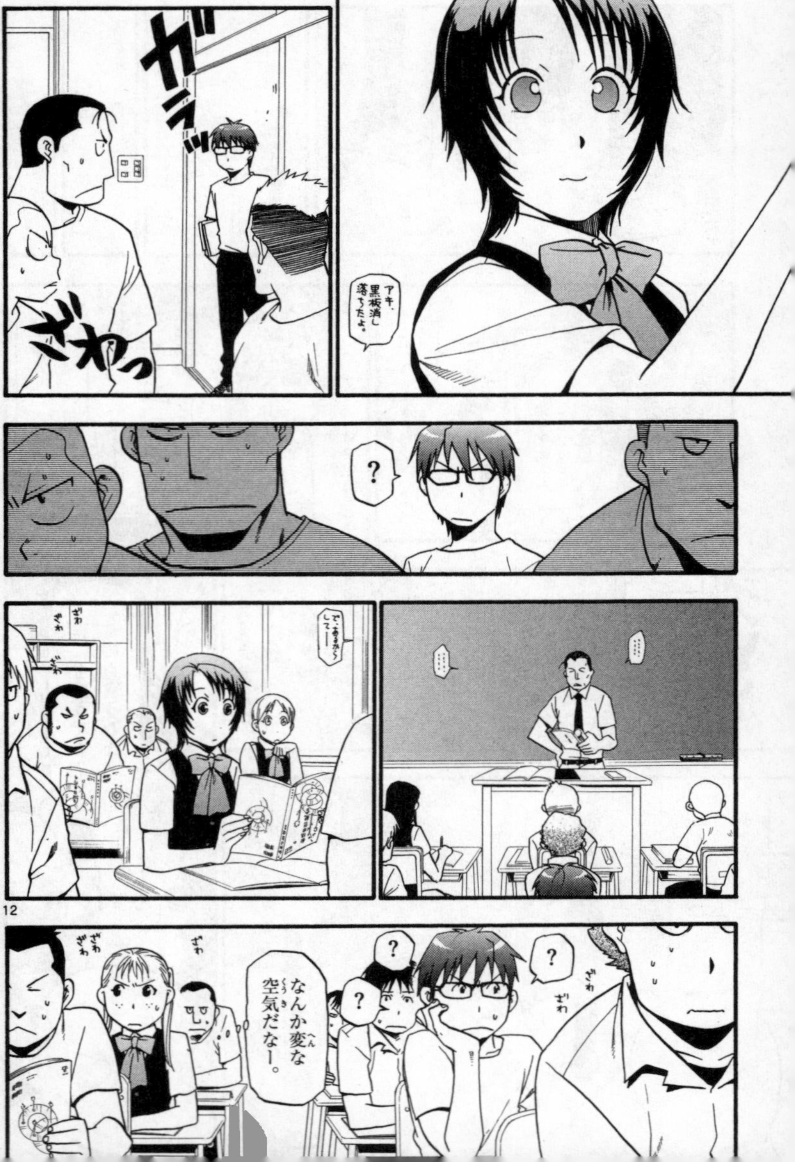
アキ、黒板消し落ちたよ。
ガラッ
ざわっ
?
……
……
ざわ
ざわ
で、あるからして――
ざわ
ざわ
?
?
なんか変《へん》な空気《くうき》だなー。
?
ざわ
ざわ
ざわ

キーンコーン
起立《きりつ》──っ。
礼《れい》──っ。
校訓
勤労
協同
理不尽
八軒《はちけん》、吉野《よしの》、ちょっと進路相談室《しんろそうだんしつ》に来《き》なさい。
はい。
?
ざわ
ざわ
ざわ
ざわ
なんだろ？
ざわ
ざわ
ざわ
ざわ
なんか悪い事したっけ？
やばー
チーズの件で中島先生をおどした事かなー
ああ…ついに…
ざわ
ざわ
ざわ
牛乳
不純異性交遊《ふじゅんいせいこうゆう》ってバレたらどうなるんだ？
生徒手帳
校則《こうそく》では禁止《きんし》になってるから…
退学《たいがく》？
そんな!!

八軒《はちけん》が退学《たいがく》になったら、
俺《おれ》は誰《だれ》に勉強《べんきょう》を
教《おし》えてもらえば
いいんだよォ———ッ!!
言《い》いふらしたの
こいつだよな?
いっしょに
退学《たいがく》しろ!!
進路相談室
不純《ふじゅん》異性《いせい》交遊《こうゆう》!!?
俺《おれ》と!?
私《わたし》が!?
うん。
そういう
ウワサが。
まあ発情《はつじょう》…もとい
春機発動期《しゅんきはつどうき》だから
わからんでもないが。
思春期《ししゅんき》って
言《い》ってください!!
つーか、
無《な》い無《な》い無《な》い!!
俺《おれ》の今《いま》の生活《せいかつ》の
どこに
ホニャララ交遊《こうゆう》
するヒマが
あるんスか!!
言ってて
悲しく
なってきたが
寮
部活
実習
学校
土日《どにち》も
部活《ぶかつ》だし!!
じゃあ
ウワサのような
事《こと》は……
ありません!!!
そうか。
じゃあ良《よ》し。

そもそもなんで
そんなデマが
飛《と》び交《か》ってんですか!!
さぁな——
ギッ
どて
どて
……誰《だれ》だ?
だっておまえ
豚舎《とんしゃ》で
吉野《よしの》に
責任《せきにん》とるとか
なんとか!!
あれか!!
豚《ぶた》の
話《はなし》だよ!!

え？八軒《はちけん》豚《ぶた》のメスとできてんの？
八軒《はちけん》は常盤《ときわ》なぐっていいと思《おも》うよ！
告
1年 酪農科学科 D組
常盤 恵次
上記の者
強制労働3日追加
……
もうすぐ強制労働《きょうせいろうどう》が終《お》わるはずだったのに…
3日追加《ついか》でもなまぬるい!!
？
ブキー
キー
キー
ブキー
今日《きょう》はずいぶんうるさいなぁ。
ブキー
キー
ブギー
ブギー
キー
エサ箱《ばこ》ピカピカだね。
ブキー
キー
キー
キー
ブギー
エサもらってないんじゃやない？

今日《きょう》はエサをやらなくていいぞ。
え？
なんですか？
明日《あした》出《しゅっ》荷《か》する段《だん》取《ど》りができたからな。
解《かい》体《たい》する時《とき》清《せい》潔《けつ》に保《たも》たれるよう、胃《い》腸《ちょう》の中《なか》を空《から》にしておくんだ。
17
いよいよお別《わか》れかぁ…
ブキー
キー
ブィ
ごめんね。おなかすかしてるよね……
キー
ブギー
ブキー

ブキー
ブィー
キーキー
ブィー
ブィー
ブキー
……富士《ふじ》先生《せんせい》……
キキー
ブキー
豚《ぶた》って……
一頭《いっとう》いくらするんですか？

18

Silver Spoon

Hiromu Arakawa Presents

ニンジン嫌い
だけど
ばあちゃんが一生懸命
作ってるので
がんばって食べる。

御影アキ

清水第一中出身

馬術部

第《だい》26話《わ》 夏《なつ》の巻《まき》⑯

豚《ぶた》一頭《いっとう》っていくらするんですか？
……この大《おお》きさだと家畜市場《かちくしじょう》で3万円《まんえん》といったところか…
ぶき——
ぶき——
買《か》ってどうする？ペットのようにかわいがり続《つづ》けるのか？
場所《ばしょ》は？エサ代《だい》は？
おまえが卒業《そつぎょう》したらその豚《ぶた》は誰《だれ》が引《ひ》き継《つ》ぐ？
買《か》うって言《い》っても生《い》きてる豚丼《ぶたどん》じゃないです。
俺《おれ》…買《か》います！

肉《にく》になった豚丼《ぶたどん》を買《か》います！
？
え…肉《にく》って枝肉《えだにく》？精肉《せいにく》？
何kg《なんキロ》あるんだ？
金《かね》はあるのか？
あります！夏休《なつやす》みにバイトした分《ぶん》が！
うむ、
売《う》った！

ほい、次《つぎ》。
ブキー
キー
ほい、次《つぎ》。
チュン
チュン
ぶきっ
ぶきっ
いち、にい、さん……
きー
きー
ぶぃー
きー
きー
ぶぎーっ
8頭《とう》！
これで最後《さいご》だな？
ほれ
ほれ
ぶっ

豚丼《ぶたどん》…
どすどすどすどすどすどす
ブギー
ギー
ブキー
どすどす
どす
あ……
ぶっ
ぶっ
ぶっ
ぶい
ぶい
ガシャーン.
ブォー
キー
あのっ…
ブキ
ギー
キィー
ブギー
なんだい？

その…

…………えーと

キー
ブキー
ブキー

よろしく
お願い
します。

うん。

うん、

はい、
了解
しましたよ。

×印がついた豚の肉は
別口でお願いします。

ドルン

ブロロロロ…

5

八軒《はちけん》、
あの豚《ぶた》が肉《にく》になって
戻《もど》って来《き》たら
報《しら》せるから。
今日《きょう》は
房《ぼう》の掃除《そうじ》だ。
次《つぎ》に入《はい》る子豚《こぶた》が
待《ま》っている。
隅々《すみずみ》まで
きれいにして
おくように。
豚舎
ゴシ
ゴシ
ゴシ
ゴシ.

6

監修：北海道帯広農業高校　酪農科学科　主任・織井恒／教諭・柴田政二

第《だい》26話《わ》 夏《なつ》の巻《まき》⑯

肉《にく》って
新鮮《しんせん》な方《ほう》が
美味《うま》いんじゃ
ないのか？
腐《くさ》りかけが
美味《うま》いって
言《ゆ》うべ。
旨《うま》み…
なんだっけ？
アミノ酸《さん》だろ。
先生《せんせい》、
豚《ぶた》のアミノ酸《さん》って…
うむ。
タンパク質《しつ》は本来《ほんらい》
味《あじ》の無《な》い物《もの》であるが、
酵素《こうそ》の働《はたら》きによって
分解《ぶんかい》され
アミノ酸《さん》とペプチドが
増加《ぞうか》する。
ぐおおおおお
ごおおお
いわゆる
「旨《うま》み成分《せいぶん》」と
いうやつだ。

肉《にく》や魚《さかな》が持《も》つ
タンパク質分解酵素《しつぶんかいこうそ》
プロテアーゼの
働《はたら》きによって
アミノ酸《さん》を増加《ぞうか》させる。
これが肉《にく》の熟成《じゅくせい》の
しくみだ。
捌《さば》いた肉《にく》を
2℃～4℃で保存《ほぞん》。
豚《ぶた》だと
3～5日《か》が
ベストだそうだ。
近年《きんねん》では、鹿肉《しかにく》に麹《こうじ》を
加《くわ》えて熟成《じゅくせい》させたら
アミノ酸量《さんりょう》が
五倍《ごばい》に増《ふ》えた、なんて
研究報告《けんきゅうほうこく》もある。
鹿《しか》……
あれより
うまく
なるのか
で、これが
アミノ酸《さん》の
構造式《こうぞうしき》！
ド
ガガガガガ
COOH
カルボキシル基
H - C - NH_2
R
D-アミノ酸
アミノ基
COOH
H_2N-C-H
R
L-アミノ酸
プスー
プスー

キーンコーン
おーい
席《せき》に着《つ》けー…
…ってありゃ、まだ化学《かがく》の授業中《じゅぎょうちゅう》ですか。
かくかくしかじか
なに？旨《うま》み成分《せいぶん》？豚《ぶた》？
ならばホエー豚《ぶた》!!
whey
ガガガガガ
牛乳《ぎゅうにゅう》から脂肪分《しぼうぶん》などのチーズ成分《せいぶん》を取《と》りのぞいた液体《えきたい》を「ホエー」と言《い》う。
ほほう？
チーズを造《つく》る過程《かてい》で大量《たいりょう》に出《で》るもので、昔《むかし》は捨《す》てられていたものだ。
わい
わい
わい
必須アミノ酸が9種類
効率良く摂取するならミドリムシがおすすめだ
ミド…!?
ミドリムシなめんな 動物性と植物性両方の栄養がバランス良く含まれてるんだぞ
ところが近年《きんねん》、このホエーの栄養価値《えいようかち》に注目《ちゅうもく》が集《あつ》まりつつある。
乳酸菌
乳糖
ミネラル
ビタミン
代表的《だいひょうてき》なものではこのホエーを与《あた》えて飼育《しいく》した「ホエー豚《ぶた》」。肉《にく》がやわらかく旨《うま》みの多《おお》いブランド豚《ぶた》だ。
ガガガガガ
ガリ
ガリ
ガリ

酪農科
1－D
何《なに》やってんですか両先生《りょうせんせい》。
あ、八千代先生《やちよせんせい》。
事《こと》の始《はじ》まりは八軒《はちけん》がかくかくしかじか。
豚肉《ぶたにく》を買《か》った?
わいわい
わい
先生《せんせい》質問《しつもん》!
俺《おれ》もー。
ほ——八軒《はちけん》は変《か》わった事《こと》するなぁ。
え…間違《まちが》った事《こと》しちゃいましたか俺《おれ》……
いや……
ふ——ん、そうかぁ…
キーンコーン
え——
今日《きょう》の畜産《ちくさん》の授業《じゅぎょう》は視聴覚教室《しちょうかくきょうしつ》で映像《えいぞう》を見《み》ます。

と畜場《ちくじょう》の映像《えいぞう》です。
家畜《かちく》がと畜場《ちくじょう》に運《はこ》ばれて行《い》く所《ところ》から枝肉《えだにく》になる所《ところ》までが撮影《さつえい》されています。
見《み》る意思《いし》のある人《ひと》だけ、
視聴覚教室《しちょうかくきょうしつ》に移動《いどう》してください。
強制《きょうせい》はしません。
生《い》き物《もの》の命《いのち》を奪《うば》う映像《えいぞう》が入《はい》っていますので、
こういうのが生理的《せいりてき》にダメな人《ひと》は無理《むり》して見《み》る必要《ひつよう》はありません。

重《かさ》ねて言《い》います。強制《きょうせい》はしません。
あと、これを見《み》なかったからという理由《りゆう》で教科点《きょうかてん》が下《さ》がるという事《こと》もありません。
では、見《み》たい人《ひと》だけ視聴覚教室《しちょうかくきょうしつ》へ移動《いどう》してください。
はーーい
けっこうキツいよね。
ざわ
どーする？
ざわ
ざわ
うち肉牛《にくぎゅう》やってるからいつか見《み》なきゃって思《おも》ってた。
ざわ
ざわ
俺《おれ》も見《み》たい。
……

……よし。
酪農科
1-D
自習
けっこう残《のこ》ったなぁ。
そうだね、私《わたし》だけかと思《おも》った。
うちの姉《ねえ》ちゃんがさ、女《おんな》の方《ほう》がスプラッタに強《つよ》いって言《い》ってたけど、石坂《いしざか》は見《み》に行《い》かないんだな。
私《わたし》、この前《まえ》ドキュメントもので牛《うし》の解体《かいたい》見《み》ちゃったからさー、今回《こんかい》はいいかなーと思《おも》って。

わかっちゃいるけど絶命《ぜつめい》する瞬間《しゅんかん》とか見《み》たら、けっこうヘコむよね。
太田西《おおたにし》は残《のこ》ったのか。
うむ。
今日《きょう》の寮弁当《りょうべんとう》のメニューを見《み》たらな、
牛丼《ぎゅうどん》なんだよ。
俺《おれ》はベストの状態《じょうたい》で昼《ひる》メシを食《た》べたい!!
なので今回《こんかい》の映像《えいぞう》はパス!!
あっそ。
14
近藤《こんどう》は?
俺《おれ》は生《なま》で見《み》た事《こと》あるから今日《きょう》はパス。
臭《にお》いとかすごい?
いや、場内《じょうない》は常《つね》にきれいにしててあんまり臭《くさ》くなかったよ。
臭《くさ》くないけど空気《くうき》が重《おも》い、かな。
家畜《かちく》の熱《ねつ》がこもるってのもあるけど、なにより解体《かいたい》する人《ひと》が真剣《しんけん》だべ?
そらそーだ。下手《へた》したら自分《じぶん》に包丁《ほうちょう》刺《さ》さるし。
あれすごいよねぇ!
ズパズパ肉《にく》を切《き》るっつーか…割《わ》る?

なんでも真剣《しんけん》にやってるのはかっこいーよなー。
だよね——
係留所《けいりゅうじょ》で待機《たいき》させられていた家畜《かちく》の汚《よご》れをシャワーで落《お》とす。
次《つぎ》に一頭《いっとう》ずつ場内《じょうない》に送《おく》り込《こ》みガス、電気等《でんきとう》を使《つか》って仮死状態《かしじょうたい》にする。
心臓《しんぞう》が動《うご》いていないとこの後《あと》の血抜《ちぬ》きに失敗《しっぱい》し、腐《くさ》りやすい不味《まず》い肉《にく》になってしまうからだ。
吊《つ》るして放血《ほうけつ》。
のどから包丁《ほうちょう》を入《い》れて一気《いっき》に動脈《どうみゃく》を切《き》る。
次《つぎ》は四肢《しし》と頭《あたま》を落《お》とす。
はやっ!
この後《あと》内臓《ないぞう》抜《ぬ》きの工程《こうてい》。
ここについてる札《ふだ》はと畜番号《ちくばんごう》。
98
98
どこの豚《ぶた》かわかるようにしてある。
次《つぎ》に——

キーンコーン
生《なま》で見《み》たらまた違《ちが》うんだろーなー。
ざわ
ざわ
最後《さいご》の枝肉《えだにく》になったらもう「うまそーっ」って感《かん》じだった。
ざわ
ざわ
視聴覚室
職人《しょくにん》すげーな。マイスターじゃん。
ざわ
ハラ減《へ》ったー。
今日《きょう》の寮弁当《りょうべんとう》なんだっけ？
ぐったー
相川《あいかわ》…
う〜〜〜…
や〜〜 予想《よそう》してたけどけっこうくるねぇ……
大丈夫《だいじょうぶ》か？
これ乗《の》り越《こ》えないと獣医《じゅうい》なんてとてもなれないしね…
うん、すごい映像《えいぞう》だった。
あのスピードで畜体《ちくたい》を捌《さば》けるのは、動物《どうぶつ》の体《からだ》を知《し》り尽《つ》くしてるからこそだ。

獣医《じゅうい》を目指《めざ》すからにはあの位《くらい》の知識《ちしき》と正確《せいかく》さが欲《ほ》しい！
おかえりー。
どうだった？
すごかったー。
いやー、わかっちゃいたけどけっこうくるな、あれ。
ざわ
ざわ
ざわ
ざわ
寮弁《りょうべん》届《とど》いたぞー。
今日《きょう》何《なに》？
牛丼《ぎゅうどん》。
俺《おれ》が見《み》に行《い》ったと畜場《ちくじょう》のおっちゃんは鎖《くさり》カタビラみたいの着込《きこ》んでたぞ。
ざわ
ざわ
包丁《ほうちょう》すごそうだもんなぁ。
ざわ
ざわ
ざわ
ざわ
ざわ
ざわ
もく……
八軒《はちけん》は平気《へいき》だったか？
あーうん。
ざわ
ざわ
内臓《ないぞう》抜《ぬ》いたら急《きゅう》に「肉《にく》！」って感《かん》じになるよね。
肉《にく》とホルモン！
ざわ
ざわ
ざわ
いただきまーす
一日《いちにち》に何頭《なんとう》捌《さば》けるんだろう？

夏休《なつやす》みに鹿解体《しかかいたい》したから割《わ》りと……
ふふ……
もそもそ
おまえ顔青《かおあお》いよ。
食欲《しょくよく》無《な》いならその肉《にく》もらっていい？
やらん!!
ががが
ちっ
八軒《はちけん》いるかー？
豚肉《ぶたにく》、
加工室《かこうしつ》に届《とど》いてるぞ。

銀《ぎん》の匙《さじ》

Silver Spoon

HIROMU ARAKAWA PRESENTS

マンガキャラに生まれたからには
悩んでるなら 相談に乗るよ!
やりたい事 あるんじゃないのか!?
なんかエンリョ してんじゃないか!?
……
俺にできる事なら なんでもするし! 言ってくれよ!!
なっ!!
うーん… 実はね…
主人公に なりたい。
!!!
どうする八軒!!

ヒミツ
私には
ヒミツがある。
生徒にも…
おはよう ございます
校長先生 おはよー ございまーす
先生方にも ヒミツにしていること……
おはよう ございます
それは 私が
シークレットブーツを はいているということ!!

牛小屋日記　特装版の巻

単行本におまけを付けましょう。
特装版というやつですね？
作品に関係あるグッズがいいよね。
スプーン付きとか。
作品に関係あるもの……
ピザ付き？
あるいは生卵付き、
却下で。

銀の匙 ～Silver Spoon～ ③

読んでいただき
ありがとうございます。
次巻から秋編！おたのしみに！

あらかわひろむ

むぎゅ

～すぺしゃるさんくす～

アシストしてくださった皆様
取材・監修に協力してくださった皆様
担当　坪内崇　氏

AND YOU!!

NEXT........

八軒《はちけん》は食《た》べる。
可愛《かわい》がってきたから…
ちゃんと味《あじ》わうべきだと…
八軒《はちけん》は悩《なや》む。
命《いのち》の重《おも》さってなんだ…
ちっぽけな自分《じぶん》に
何《なに》ができるっていうんだ…

そして、八軒《はちけん》の
初《はじ》めての夏《なつ》が終《お》わる。
季節《きせつ》は、実《みの》りの秋《あき》へ——

「銀《ぎん》の匙《さじ》 Silver Spoon」
第《だい》④巻《かん》、
2012年《ねん》7月《がつ》
発売予定《はつばいよてい》!!

to be continued.......

銀の匙 Silver Spoon③

少年サンデーコミックス

2012年4月23日初版第1刷発行　(検印廃止)

著　者　荒　川　　弘
©Hiromu Arakawa　2012

発行者　佐　上　靖　之

印刷所　図書印刷株式会社

PRINTED IN JAPAN

「週刊少年サンデー」2011年第47号、第49号～第51号、
第53号～2012年第5･6合併号掲載作品

連載担当／坪内 崇
単行本編集責任／久保田滋夫
単行本編集／坪内 崇／布瀬川昌範(アイプロダクション)

発行所　(〒101-8001)東京都千代田区一ツ橋二の三の一　株式会社 小学館
TEL　販売03(5281)3556 編集03(3230)5480

ISBN978−4−09−123653−1

エゾリー 校長
フキの葉の下に住んでる。